KV-703-964

Pour l'édition originale
Textes Stephanie Milton
avec l'aide de Marsh Davies et Owen Jones
Mise en page Andrea Philpots et John Stuckey
Illustrations Ryan Marsh
Couverture John Stuckey
Illustration de couverture Ninni Landin
Fabrication Louis Harvey et Laura Grundy
Remerciements particuliers à Lydia Winters, Owen Jones, Junkboy,
Martin Johansson, Marsh Davies et Jesper Öqvist.

© 2017 Mojang AB et Mojang Synergies AB.
MINECRAFT est une marque déposée et enregistrée de Mojang Synergies AB.

Tous droits réservés

Pour l'édition française
Traducteur-spécialiste Alexandre Fil
Mise en page Olivier Brunot
Responsable éditorial Thomas Dartige
Suivi d'édition Éric Pierrat et Anne-Flore Durand
Correction Aurore Delvigne

AVERTISSEMENTS AUX FANS LES PLUS JEUNES À PROPOS D'INTERNET

Il est très amusant de surfer sur Internet. Voici quelques règles simples pour que les plus jeunes
y restent en sécurité tout en profitant pleinement des meilleurs côtés d'Internet.

- Ne donne jamais ton vrai nom, utilise toujours un pseudo.
- Ne divulgue aucune information personnelle.
- Ne dis à personne quelle école tu fréquentes ou quel âge tu as.
- Ne révèle à personne ton mot de passe sauf à tes parents ou à ton tuteur.
- Sache qu'il faut que tu aies au moins 13 ans pour créer un compte sur la plupart des sites.
Vérifie toujours quelles sont les règles sur le site où tu te trouves et demande l'autorisation
à tes parents ou à ton tuteur avant de t'y enregistrer.
- Si quelque chose t'inquiète, parles-en tout de suite à tes parents ou à ton tuteur.

Pour être tranquille sur Internet. Toutes les adresses de sites données dans ce livre
sont correctes au moment où ce livre part en impression. Cependant Gallimard Jeunesse
ne peut pas être tenu pour responsable du contenu mis en ligne par des tiers.
Soyez bien conscient que le contenu en ligne des sites peut changer et que certains
sites peuvent avoir un contenu inapproprié pour les enfants. Nous recommandons
que ces derniers ne soient pas seuls quand ils utilisent Internet.

Édition originale parue sous le titre *Minecraft Guide to Exploration*
publiée au Royaume-Uni en 2017 par Egmont UK Limited

ISBN 978-2-07-507837-5
Copyright © 2017 Gallimard Jeunesse, Paris
Dépôt légal : juin 2017
N° d'édition : 309259
Loi n° 49-956 du 16 juillet 1949
sur les publications destinées à la jeunesse

Imprimé et relié en Italie

LE GUIDE

↗ EXPLORATION

SOMMAIRE

1. LES PAYSAGES MINECRAFTIENS

2. CRÉATURES

3. SURVIE

INTRODUCTION

Bienvenue dans ce guide officiel ! Depuis que le mode Survie existe, des joueurs du monde entier se sont lancés dans des aventures palpitantes. Bien qu'il soit génial de jouer en mode créatif avec des ressources disponibles à l'infini, construire avec des matériaux que l'on s'est procurés soi-même apporte une grande satisfaction. Je pense que c'est la manière la plus passionnante de jouer.

Ce guide est rempli d'astuces et de conseils d'experts. Tu y découvriras tous les biomes et tout ce que tu peux y trouver. Tu recevras aussi plein d'informations sur les créatures que tu croiseras pendant ton périple, ainsi que sur les objets indispensables à ta survie et à ton épanouissement dans le jeu.

Sois courageux et éclate-toi !

OWEN JONES
LA TEAM MOJANG

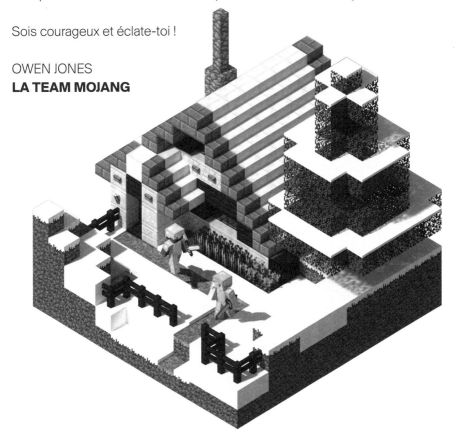

TRUCS TECHNIQUES

Avant de démarrer ta première partie, tu dois d'abord choisir comment tu veux jouer. Cette page va t'aider à décider entre les différents modes de jeu et entre le jeu en solo ou en groupe.

ÉDITIONS

Minecraft est disponible sur différentes plateformes de jeux. Quelles que soient tes préférences, il y a une version du jeu qui te conviendra.

ORDINATEUR

CONSOLE

SMARTPHONE

JEU EN SOLO, MULTIJOUEUR OU REALMS

Une fois la plateforme choisie, tu peux décider du type d'aventure que tu veux vivre. Tu as le choix de la vivre seul ou avec tes amis, dans un nouveau monde ou dans une map créée par un autre joueur.

  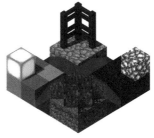

Le jeu en solo est le mode par défaut de Minecraft. Ce mode est pour toi si tu préfères te confronter seul aux défis de Minecraft, sans avoir besoin d'une équipe.

Choisis le mode multijoueur si tu veux partager ton aventure avec des amis. Une personne devra créer une partie en LAN (réseau d'accès local) que les autres joueurs rejoindront.

Des éditions du jeu peuvent utiliser Minecraft Realms, un service qui permet de louer un serveur chez Mojang. C'est sécurisé, seuls les gens que tu invites peuvent le rejoindre.

MODE DE JEU

Finalement, il existe différents modes de jeux qui offrent divers niveaux de difficulté.

MOJANG INFO

Quand le mode Survie est apparu, Jeb était un peu sceptique. Mais maintenant, c'est comme ça qu'il préfère jouer !

SURVIE
Choisis le mode Survie et tu auras des tonnes de créatures à affronter et pleins d'objets à récupérer pour pouvoir rester en vie. Tu devras également te nourrir et tu gagneras de l'expérience en jouant.

CRÉATIF
Dans ce mode, tu ne crains aucun monstre. Tu peux voler et détruire tous les blocs. Ton inventaire est plein de matériaux avec lesquels tu peux construire de fabuleuses structures.

EXTRÊME
En mode Extrême, la difficulté est bloquée sur Difficile et tu n'as qu'une seule vie. Si tu meurs, c'est un véritable Game Over : tu devras tout recommencer depuis le début.

PAISIBLE
En mode Survie et difficulté Paisible, tu dois aussi collecter tes matériaux et fabriquer des objets utiles à ta survie mais sans les monstres agressifs. De plus, ta santé se régénère toute seule.

CONTRÔLES

Une fois l'édition choisie, consulte les pages suivantes pour te familiariser avec les contrôles de base. Si tu es bloqué à un endroit du jeu, tu peux revenir voir ces pages pour y trouver de l'aide.

CONTRÔLES SUR ORDINATEUR

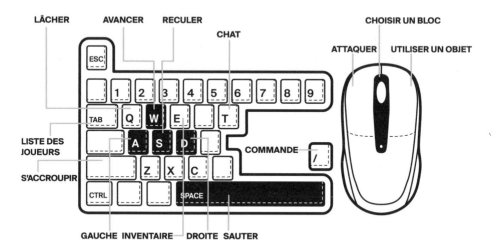

CONTRÔLES DE L'ÉDITION SUR SMARTPHONE

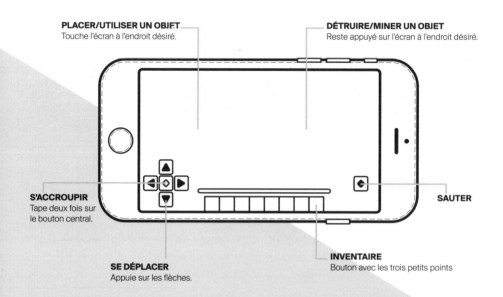

PLACER/UTILISER UN OBJET
Touche l'écran à l'endroit désiré.

DÉTRUIRE/MINER UN OBJET
Reste appuyé sur l'écran à l'endroit désiré.

S'ACCROUPIR
Tape deux fois sur le bouton central.

SAUTER

SE DÉPLACER
Appuie sur les flèches.

INVENTAIRE
Bouton avec les trois petits points

CONTRÔLES SUR PLAYSTATION

PLACER/UTILISER UN OBJET
L2 (gâchette gauche)

CHANGER L'OBJET SÉLECTIONNÉ
L1/R1 (petite gâchette gauche/droite)

DÉTRUIRE/MINER UN OBJET
R2 (gâchette droite)

COURIR
Stick analogique gauche
(appuyer rapidement
deux fois vers l'avant)

X : Sauter/Voler
O : Lâcher/Lancer
⬛h objet
△ : Menu de fabrication
: Inventaire

SE DÉPLACER
Stick analogique
gauche

REGARDER
Stick analogique
droit

**VOLER PLUS
BAS (EN MODE
CRÉATIF) OU
CHANGER L'ANGLE
DE LA CAMÉRA**
Stick analogique gauche (presser)

**S'ACCROUPIR/
MARCHER**
Stick analogique
droit (presser)

CONTRÔLES SUR XBOX

CHANGER L'OBJET SÉLECTIONNÉ
LB/RB (petite gâchette gauche/droite)

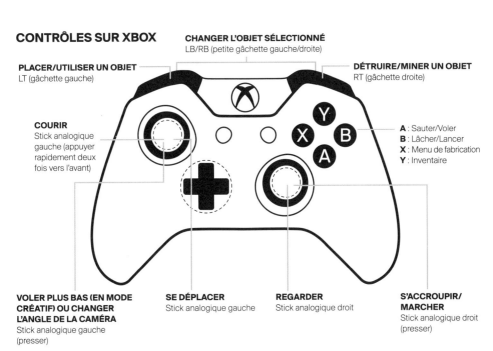

PLACER/UTILISER UN OBJET
LT (gâchette gauche)

DÉTRUIRE/MINER UN OBJET
RT (gâchette droite)

COURIR
Stick analogique
gauche (appuyer
rapidement deux
fois vers l'avant)

A : Sauter/Voler
B : Lâcher/Lancer
X : Menu de fabrication
Y : Inventaire

**VOLER PLUS BAS (EN MODE
CRÉATIF) OU CHANGER
L'ANGLE DE LA CAMÉRA**
Stick analogique gauche
(presser)

SE DÉPLACER
Stick analogique gauche

REGARDER
Stick analogique droit

**S'ACCROUPIR/
MARCHER**
Stick analogique droit
(presser)

CONTRÔLES SUR PLAYSTATION VITA

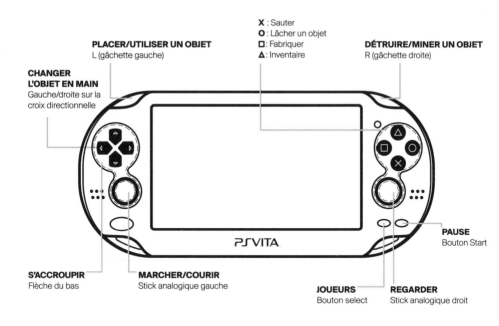

PLACER/UTILISER UN OBJET
L (gâchette gauche)

X : Sauter
O : Lâcher un objet
□ : Fabriquer
△ : Inventaire

DÉTRUIRE/MINER UN OBJET
R (gâchette droite)

CHANGER L'OBJET EN MAIN
Gauche/droite sur la croix directionnelle

S'ACCROUPIR
Flèche du bas

MARCHER/COURIR
Stick analogique gauche

JOUEURS
Bouton select

REGARDER
Stick analogique droit

PAUSE
Bouton Start

CONTRÔLES SUR WII U

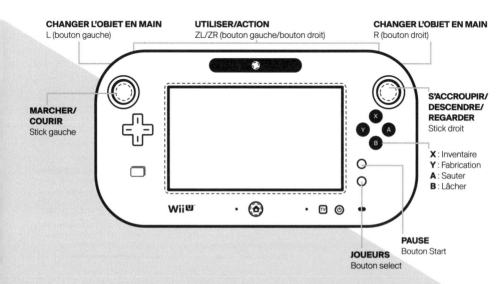

CHANGER L'OBJET EN MAIN
L (bouton gauche)

UTILISER/ACTION
ZL/ZR (bouton gauche/bouton droit)

CHANGER L'OBJET EN MAIN
R (bouton droit)

MARCHER/COURIR
Stick gauche

S'ACCROUPIR/DESCENDRE/REGARDER
Stick droit

X : Inventaire
Y : Fabrication
A : Sauter
B : Lâcher

PAUSE
Bouton Start

JOUEURS
Bouton select

INVENTAIRE

Quand tu joueras en mode Survie, Extrême ou Paisible, tu obtiendras beaucoup de blocs et d'objets utiles. Tu devras les stocker et les organiser dans ton inventaire. Tu peux ouvrir celui-ci à tout moment. Relis les pages 8 à 10 pour savoir comment faire selon ton édition du jeu.

EMPLACEMENTS D'ARMURE
Voir p. 89 pour savoir comment fabriquer et équiper une armure.

GRILLE DE FABRICATION
Glisse des matériaux dans la grille de fabrication pour créer des objets simples comme les planches ou les torches.

EMPLACEMENT DE SORTIE
Ton objet fraîchement construit apparaîtra ici, prêt à être placé dans ton inventaire.

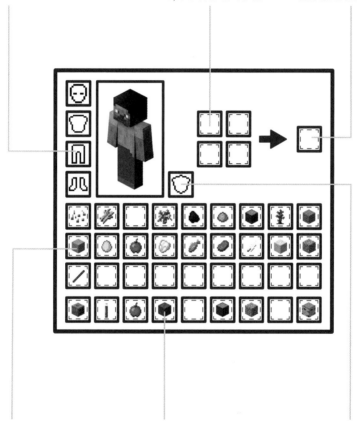

EMPLACEMENTS D'OBJETS
Vingt-sept cases sont disponibles pour tes objets. Beaucoup de blocs sont empilables au maximum soixante-quatre fois sur un emplacement. Certains objets, comme les œufs ou les seaux, ne sont empilables que seize fois. Les outils ne peuvent pas être empilés. Quand tu passes au-dessus d'un objet de ton inventaire, son nom s'affiche.

EMPLACEMENTS D'ACCÈS RAPIDE
Ta barre d'accès rapide est toujours affichée. Elle permet d'accéder tout de suite à des objets sans avoir à ouvrir son inventaire. Elle est faite pour accéder à des objets importants comme les armes ou la nourriture. Ta main tient toujours l'objet qui est sélectionné dans la barre d'accès rapide.

EMPLACEMENT SECONDAIRE
Tu peux placer un objet dans cette case pour en avoir un dans chaque main. Si ta main principale est vide, tu utiliseras cet objet. Tu ne peux pas utiliser d'armes placées dans l'emplacement secondaire, mais il est parfait pour les flèches, la nourriture ou les torches.

SYMBOLES

Tout au long de ce livre tu trouveras des symboles représentant différents objets, valeurs ou propriétés. Ils donnent des informations sur tout : depuis les dégâts infligés par les créatures jusqu'à ce qu'elles peuvent relâcher en mourant.

GÉNÉRAL

MOJANG INFO

Cette info super exclusive est directement fournie par Mojang.

La créature ne meurt pas quand elle est exposée au soleil.

∞

Indique que cet objet est relâché à l'infini, tant que la créature est vivante.

LUMIÈRE NÉCESSAIRE

15

9

0

Indique le niveau de luminosité nécessaire pour l'apparition d'une créature. Ici, le monstre apparaît à partir d'un niveau 9 de luminosité.

HOSTILITÉ

Indique le niveau d'agressivité d'une créature. Le jaune signifie passif, l'orange signifie neutre et le rouge signifie agressif.

	Explose-le avec du TNT.
	Désactive un générateur de créatures avec cinq torches.
	Bois du lait pour neutraliser les effets du poison.
	Attaque d'un joueur ennemi.
	Chute d'enclume.
	Feu
	Pousse-le sur un cactus.

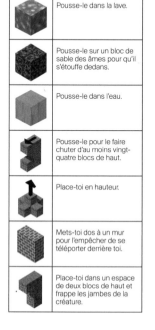

	Pousse-le dans la lave.
	Pousse-le sur un bloc de sable des âmes pour qu'il s'étouffe dedans.
	Pousse-le dans l'eau.
	Pousse-le pour le faire chuter d'au moins vingt-quatre blocs de haut.
	Place-toi en hauteur.
	Mets-toi dos à un mur pour l'empêcher de se téléporter derrière toi.
	Place-toi dans un espace de deux blocs de haut et frappe les jambes de la créature.

	Frappe avec une épée en diamant
	Frappe avec une épée, une hache, une pelle ou une pioche.
	Éclair
	Attaque de créature
	Tire dessus à distance avec un arc.
	Monte sur une tour de terre de deux blocs de haut puis frappe-le avec une épée.
	Piège-le à la lumière du jour.

OBJETS, BLOCS ET EFFETS

	Hache		Œuf		Champignon (marron)		Lapin cru
	Armure		Émeraude		Champignon (rouge)		Saumon cru
	Flèche		Perle du néant		Équipement apparaissant naturellement		Redstone
	Os		Point d'expérience		Papier		Poulet cuit
	Arc		Plume		Équipement ramassé		Chair putréfiée
	Bol		Boule de feu ou boule d'acide de l'End		Pomme de terre		Selle
	Tapis		Bouteille en verre		Cristaux de prismarin		Boule de Slime
	Carotte		Poudre de luminite		Éclats de prismarin		Œil d'araignée
	Coffre		Lingot d'or		Poisson-globe		Steak
	Poisson clown		Pépite d'or		Peau de lapin		Bâtonnet
	Poisson cuit		Poudre à canon		Patte de lapin		Fil
	Mouton cuit		Armure de cheval		Bœuf cru		Sucre
	Côtelette de porc cuite		Sac d'encre		Poulet cru		Totem d'immortalité
	Lapin cuit		Lingot de fer		Poisson cru		Éponge
	Saumon cuit		Cuir		Mouton cru		Laine
	Tête de Creeper		Disque musical		Côtelette de porc crue		

AVANT D'APPARAÎTRE

Ce guide suppose que tu joues seul et en mode Survie. Avant de commencer ta première partie (et « d'apparaître » dans le monde que tu as créé), tu dois comprendre certaines choses sur le monde mystérieux de Minecraft.

LA GRAINE DU MONDE (SEED)

C'est la séquence de chiffres et de lettres qui génère les mondes et qui détermine ce à quoi ils ressembleront. On s'échange souvent les meilleures seeds sur Internet. La graine est normalement créée automatiquement, mais tu peux la changer à la main. Va dans « Créer un nouveau monde » puis « Plus d'options » pour entrer la graine à la main.

BLOCS

Les paysages sont composés de blocs générés naturellement par le jeu, mais tu peux aussi fabriquer tes propres blocs. Ils peuvent être placés au-dessus d'autres blocs et utilisés pour construire. Certains sont opaques, d'autres transparents, certains liquides, d'autres solides. Beaucoup sont utiles : ainsi les torches éclairent et les gâteaux donnent des points de nourriture.

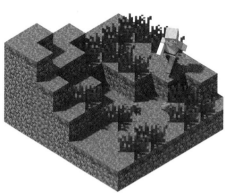

OBJETS

Les objets ne peuvent pas être posés sur d'autres blocs. Ils sont soit tenus en main soit jetés au sol pour qu'un autre joueur les ramasse. Ils ont une fonction et peuvent être combinés avec d'autres objets pour faire des blocs.

CRÉATURES

On appelle créature, ou mob, tous les animaux et monstres vivants. Ces créatures sont passives, neutres ou agressives. Certaines peuvent être apprivoisées et deux sont dites « créatures de support » car elles peuvent t'aider à te défendre.

CASSER DES BLOCS

Tu dois casser des blocs pour les collecter. Certains, comme le bois, peuvent être cassés avec la main ou avec un outil. D'autres ne peuvent être cassés qu'avec des outils comme la pioche. Certains outils permettent de casser des blocs plus rapidement. Ainsi, la pelle casse plus rapidement le sable, la terre et le gravier.

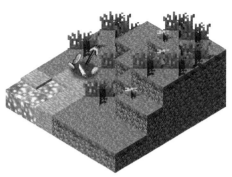

POINTS DE VIE ET DÉCÈS

En mode Survie tes points de vie diminuent si tu subis des dégâts ou si tu ne manges pas. Si tu perds tes vingt points de vie tu te retrouves à l'écran de réapparition. Tout ce qui est dans ton inventaire est alors dispersé au sol à l'endroit de ton décès. Si tu es rapide, tu pourras peut-être y retourner en courant et tout récupérer.

CYCLE JOUR/NUIT

Un cycle jour/nuit complet dure vingt minutes : dix minutes de jour suivies par dix minutes de nuit. Le soleil et la lune se lèvent et se couchent, donc tu peux vérifier leurs positions pour avoir une idée de l'heure qu'il est.

NIVEAUX ET EXPÉRIENCE

Tu gagnes des points d'expérience en minant, en tuant des monstres ou d'autres joueurs, en utilisant des fours et en nourrissant des animaux. Les orbes d'expérience apparaissent alors et tu les ramasses automatiquement si tu es proche d'eux. Les points s'additionnent et te font gagner des niveaux. Avec ces niveaux tu enchantes des objets pour gagner de nouveaux pouvoirs.

COORDONNÉES

Les coordonnées sont des nombres qui indiquent où tu te situes. L'axe x est la distance qui te sépare de ton point d'apparition vers l'est ou l'ouest, l'axe z indique la distance vers le nord ou le sud. Enfin, l'axe y donne ton altitude. Sur ordinateur, tu peux voir tes coordonnées en appuyant sur la touche F3 et sur console en consultant une carte.

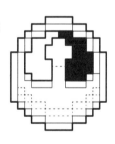

LES PAYSAGES MINECRAFTIENS

Cette partie te dit tout sur les paysages. Tu vas apprendre plein de choses sur les différents biomes que tu seras amené à traverser et sur les avantages et inconvénients à s'installer dans chacun d'entre eux. Tu apprendras aussi à chercher et à trouver les fascinantes structures naturelles et de précieux butins pour t'aider dans ton aventure.

BIOMES

Tu peux te retrouver dans n'importe quel biome lors de ton apparition. Les biomes sont des régions qui ont chacune des caractéristiques et des environnements spécifiques. Chaque biome a ses avantages et ses inconvénients, tu devras donc choisir entre rester ou partir à la recherche d'une zone plus hospitalière.

DÉSERT

Les biomes déserts sont inhospitaliers. Les créatures passives n'y vivent pas et il n'y pleut jamais : difficile d'y trouver de la nourriture et d'y cultiver des aliments. Tu peux y collecter des ressources mais n'y construis pas ta base.

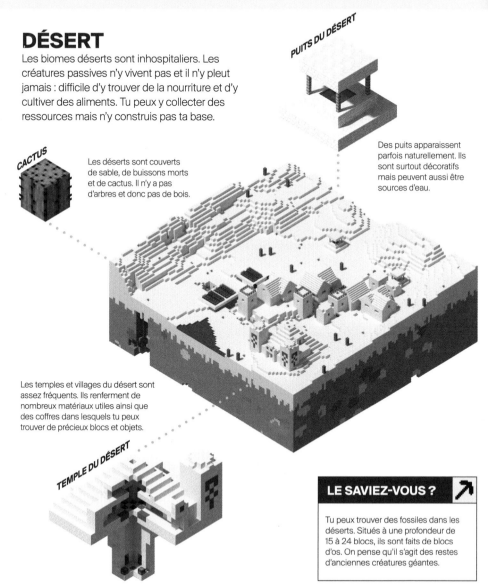

PUITS DU DÉSERT

CACTUS

Les déserts sont couverts de sable, de buissons morts et de cactus. Il n'y a pas d'arbres et donc pas de bois.

Des puits apparaissent parfois naturellement. Ils sont surtout décoratifs mais peuvent aussi être sources d'eau.

Les temples et villages du désert sont assez fréquents. Ils renferment de nombreux matériaux utiles ainsi que des coffres dans lesquels tu peux trouver de précieux blocs et objets.

TEMPLE DU DÉSERT

LE SAVIEZ-VOUS ? ↗

Tu peux trouver des fossiles dans les déserts. Situés à une profondeur de 15 à 24 blocs, ils sont faits de blocs d'os. On pense qu'il s'agit des restes d'anciennes créatures géantes.

SAVANE

Les savanes sont des régions arides et plates, couvertes d'herbes hautes et d'acacias. Il est facile d'y construire mais la culture d'aliments peut être difficile à cause du manque de pluie.

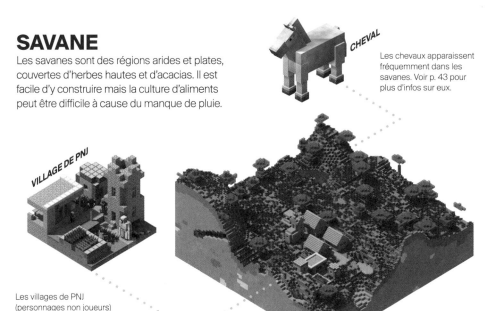

CHEVAL

Les chevaux apparaissent fréquemment dans les savanes. Voir p. 43 pour plus d'infos sur eux.

VILLAGE DE PNJ

Les villages de PNJ (personnages non joueurs) sont fréquents ici, ce qui en fait un bon biome pour récolter des ressources. Voir p. 34 pour plus d'infos.

COLLINES EXTRÊMES

Les collines extrêmes sont impressionnantes et très escarpées. Il est difficile d'y construire et leur exploration est dangereuse. Il est facile d'y faire une mauvaise chute.

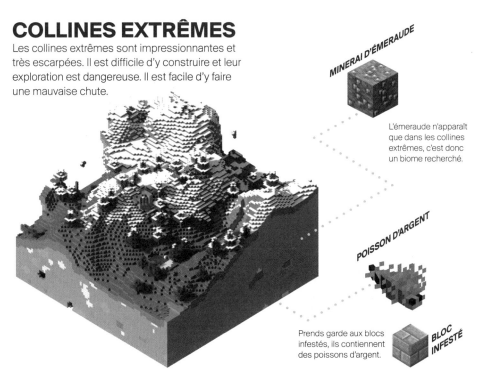

MINERAI D'ÉMERAUDE

L'émeraude n'apparaît que dans les collines extrêmes, c'est donc un biome recherché.

POISSON D'ARGENT

Prends garde aux blocs infestés, ils contiennent des poissons d'argent.

BLOC INFESTÉ

FORÊT

Les forêts sont des zones d'apparition idéales à cause du bois, matériau indispensable à la fabrication de tes premiers objets. Les forêts sont remplies de chênes et de bouleaux, d'herbe normale ainsi que de nombreuses zones d'herbes hautes.

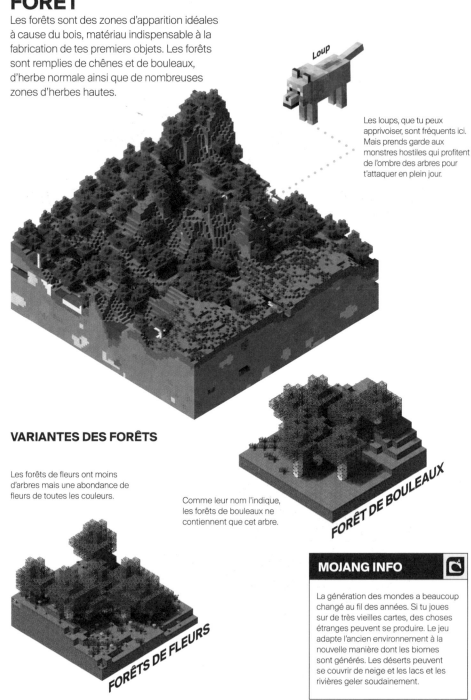

Loup

Les loups, que tu peux apprivoiser, sont fréquents ici. Mais prends garde aux monstres hostiles qui profitent de l'ombre des arbres pour t'attaquer en plein jour.

VARIANTES DES FORÊTS

Les forêts de fleurs ont moins d'arbres mais une abondance de fleurs de toutes les couleurs.

Comme leur nom l'indique, les forêts de bouleaux ne contiennent que cet arbre.

FORÊT DE BOULEAUX

FORÊTS DE FLEURS

MOJANG INFO

La génération des mondes a beaucoup changé au fil des années. Si tu joues sur de très vieilles cartes, des choses étranges peuvent se produire. Le jeu adapte l'ancien environnement à la nouvelle manière dont les biomes sont générés. Les déserts peuvent se couvrir de neige et les lacs et les rivières geler soudainement.

FORÊT COUVERTE

Les Forêts couvertes sont caractérisées par une forte densité de chênes et de champignons géants qui bloque presque toute la lumière du jour.

MONSTRES AGRESSIFS

Les monstres agressifs hantent souvent en pleine journée ce biome lugubre. Il faut donc y aller avec assez d'expérience et sun bon équipement.

CHAMPIGNON GÉANT

Sauf s'il pousse sur du mycélium, le champignon géant n'a besoin que d'une luminosité inférieure à 12 pour croître. Voir p. 83 pour plus d'infos sur le mycélium.

JUNGLE

Il est difficile de traverser les jungles et encore plus d'y construire. Le terrain est en effet très vallonné et couvert de végétation. Les monstres agressifs y vivent très bien car les arbres laissent passer peu de lumière. C'est le seul biome dans lequel tu peux trouver des pastèques et des fèves de cacao. Les jungles valent le détour mais évite de t'y installer dès le début de ton aventure.

OCELOT

L'ocelot ne se trouve que dans les jungles. Voir p. 42 pour plus d'infos.

TEMPLE DE LA JUNGLE

Les temples de la jungle sont assez fréquents et contiennent des coffres piégés. Voir p. 31 pour plus d'infos.

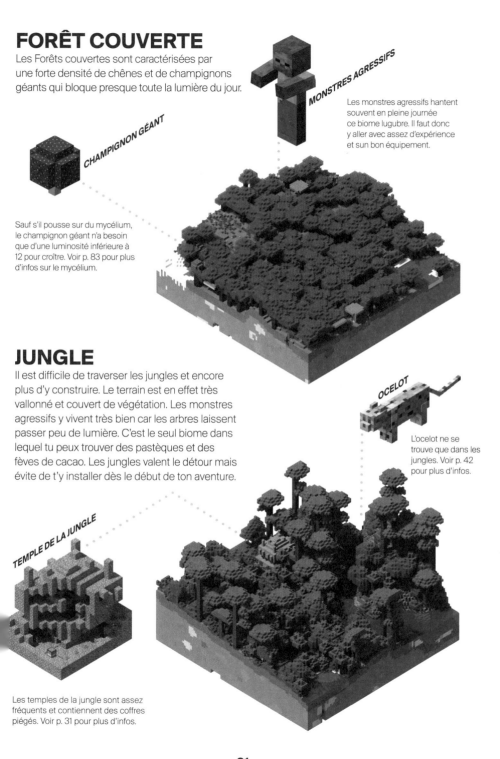

PLAINES GELÉES

Ici, le paysage est assez plat et couvert de neige et toutes les sources sont gelées. On y trouve de la canne à sucre, mais l'agriculture est difficile à cause de l'eau qui gèle rapidement. Il y a peu d'arbres, ce qui n'est pas idéal pour les débutants.

ASTUCE ↗

Si on veut faire des golems de neige, les plaines gelées sont idéales. Ce sont des créatures qui t'aideront à repousser les monstres agressifs en leur lançant des boules de neige. Pour les fabriquer, empile deux blocs de neige puis pose une citrouille dessus. On trouve des citrouilles un peu partout.

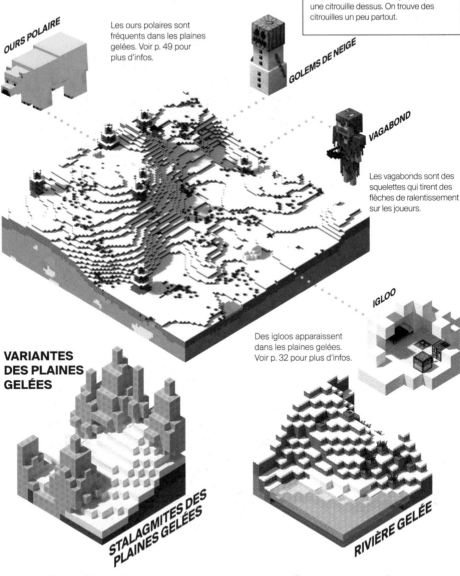

OURS POLAIRE

Les ours polaires sont fréquents dans les plaines gelées. Voir p. 49 pour plus d'infos.

GOLEMS DE NEIGE

VAGABOND

Les vagabonds sont des squelettes qui tirent des flèches de ralentissement sur les joueurs.

IGLOO

Des igloos apparaissent dans les plaines gelées. Voir p. 32 pour plus d'infos.

VARIANTES DES PLAINES GELÉES

STALAGMITES DES PLAINES GELÉES

Tu trouves ici de grandes stalagmites de glace pouvant atteindre 50 blocs de haut.

RIVIÈRE GELÉE

Comme son nom le suggère, tu trouveras une rivière gelée dans cette variante du biome.

PLAINES

Les plaines sont plates et herbeuses, avec quelques arbres. Les villages de PNJ sont nombreux. Les plaines font partie des biomes où les chevaux apparaissent naturellement. Il est assez facile d'y construire. Elles sont parfaites pour les débutants et les bases permanentes.

CRÉATURES PASSIVES

Les plaines abritent des créatures passives en abondance qui donnent beaucoup de nourriture.

VARIANTE DES PLAINES

PLAINES DE TOURNESOLS

Cette variante rare du biome plaine est couverte de tournesols qui pointent tous vers l'est. Ils t'aideront à trouver ton chemin.

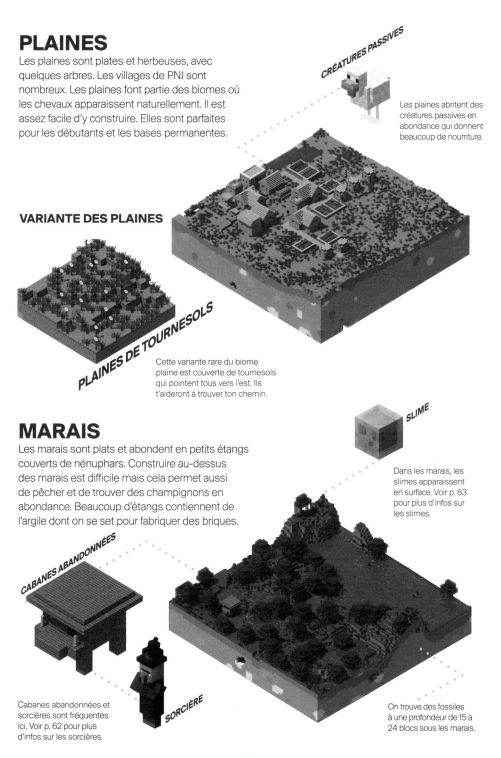

MARAIS

Les marais sont plats et abondent en petits étangs couverts de nénuphars. Construire au-dessus des marais est difficile mais cela permet aussi de pêcher et de trouver des champignons en abondance. Beaucoup d'étangs contiennent de l'argile dont on se set pour fabriquer des briques.

SLIME

Dans les marais, les slimes apparaissent en surface. Voir p. 63 pour plus d'infos sur les slimes.

CABANES ABANDONNÉES

SORCIÈRE

Cabanes abandonnées et sorcières sont fréquentes ici. Voir p. 62 pour plus d'infos sur les sorcières.

On trouve des fossiles à une profondeur de 15 à 24 blocs sous les marais.

OCÉAN

Bien que ce ne soit pas le biome idéal pour construire une maison, les océans sont riches en poissons et en poulpes. Dans la variante océan profond, il y a des monuments sous-marins bien gardés qui contiennent des trésors. Ne les visite que si tu es expérimenté.

MOJANG INFO

Les monuments sous-marins ont été ajoutés récemment. Pour en ajouter un dans un monde déjà créé, on vérifie d'abord que les joueurs n'ont pas visité un *chunk* plus de trois fois. C'est pour éviter d'ajouter le monument là où un joueur aurait construit sa base.

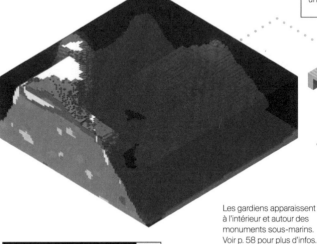

MONUMENT SOUS-MARIN

Voir p. 33 pour plus d'infos sur ces monuments.

Les gardiens apparaissent à l'intérieur et autour des monuments sous-marins. Voir p. 58 pour plus d'infos.

GARDIEN

MOJANG INFO

Dans une ancienne version du jeu, il y avait des poches d'air sous l'eau. En fait, c'était un bug : quand le jeu générait des mines abandonnées sous les océans, il utilisait de mauvaises coordonnées pour dégager l'espace nécessaire à la mine et, à la place, il creusait un tunnel dans l'eau.

Le mycélium est un bloc sur lequel tous les champignons poussent, quelle que soit la luminosité.

BIOME CHAMPIGNON

Ce biome est rare et peut être découvert au milieu de l'océan. C'est un mélange de collines et de plaines, couvertes de mycélium. Ce biome fait partie des deux seuls sur lesquels poussent naturellement des champignons géants. C'est un refuge sécurisé pour les débutants mais les arbres n'y poussent pas. Tu devras aller ailleurs si tu veux fabriquer des objets utiles.

Les champimeuhs sont les seules créatures qui apparaissent ici : pas de monstres agressifs ici.

CHAMPIMEUH

MESA

Ces biomes sont rares. Ils sont composés d'argile durcie et de sable rouge. Les arbres y sont rares et il n'y a pas de créatures passives pouvant servir de nourriture, il faut éviter ce biome si tu débutes. Le minerai d'or apparaît à tous les niveaux dans ce biome.

MOJANG INFO

Il n'y a qu'un biome que les explorateurs de l'Overworld ne verront jamais : le Vide. Ce réglage est réservé aux concepteurs de maps. Il génère un monde avec juste une plateforme en pierre.

VARIANTES DE LA MESA

MINE ABANDONNÉE

PLATEAU MESA

Ces variantes comptent des colonnes d'argile ou des zones plantées d'arbres.

Les mines abandonnées sont générées à la surface. Ce biome est donc parfait pour miner.

MESA (BRYCE)

TAÏGA

Ces biomes sont de bonnes sources de bois grâce aux chênes noirs qui y poussent. Ils sont un endroit idéal pour les débutants.

VARIANTE DE LA TAÏGA

MÉGA TAÏGA

LAPIN

De nombreux loups et lapins peuvent être trouvés ici, mais il n'y a pas grand-chose d'autre. Tu voudras partir, une fois que tu auras obtenu les outils de base.

LE NETHER

Tu n'apparaîtras jamais ici mais les joueurs les plus forts veulent absolument le visiter. Cette dimension infernale est remplie de monstres terrifiants. C'est aussi une source inépuisable de matériaux uniques comme la luminite, qui éclaire, ou le quartz, pouvant être transformé en bloc de quartz, très utile en construction.

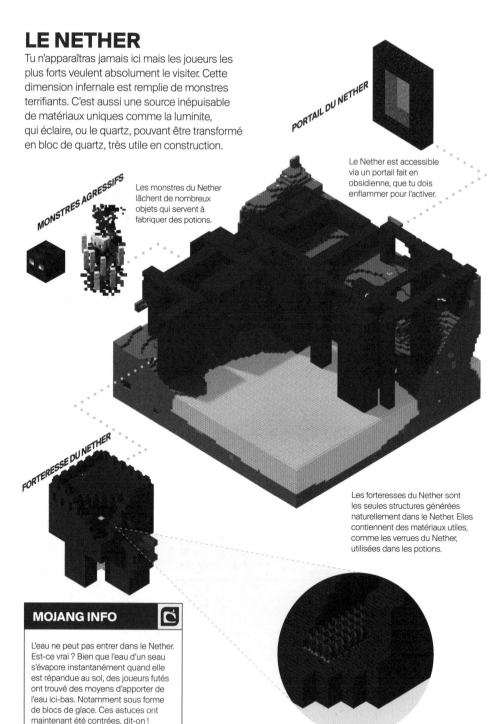

PORTAIL DU NETHER

Le Nether est accessible via un portail fait en obsidienne, que tu dois enflammer pour l'activer.

MONSTRES AGRESSIFS

Les monstres du Nether lâchent de nombreux objets qui servent à fabriquer des potions.

FORTERESSE DU NETHER

Les forteresses du Nether sont les seules structures générées naturellement dans le Nether. Elles contiennent des matériaux utiles, comme les verrues du Nether, utilisées dans les potions.

MOJANG INFO

L'eau ne peut pas entrer dans le Nether. Est-ce vrai ? Bien que l'eau d'un seau s'évapore instantanément quand elle est répandue au sol, des joueurs futés ont trouvé des moyens d'apporter de l'eau ici-bas. Notamment sous forme de blocs de glace. Ces astuces ont maintenant été contrées, dit-on !

L'END

L'End est composé de plusieurs îles qui flottent dans le vide. Seuls les joueurs les plus avancés osent y mettre les pieds.

DRAGON DE L'END

ÎLE PRINCIPALE

L'île principale est atteinte grâce au portail de l'End que l'on trouve dans un fort de l'Overworld. Voir p. 35 pour plus d'infos. Si tu veux en sortir vivant et pouvoir visiter les autres îles, tu devras vaincre le boss ultime : le dragon de l'End.

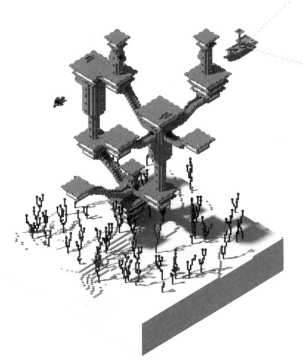

Mojang Info

Comme dans le Nether, dormir dans un lit dans l'End le fait exploser. Si tu veux faire un speedrun en mode Extrême, tu dois trouver une manière de diposer des lits pour infliger un maximum de dégâts au dragon tout en étant assez protégé de l'explosion. Une bonne coordination est essentielle.

STRUCTURES GÉNÉRÉES NATURELLEMENT

Si tu sais où chercher, tu trouveras beaucoup de structures générées naturellement. Celles-ci contiennent des matériaux précieux ainsi que des coffres remplis de trésors, mais elles peuvent être dangereuses et sont souvent piégées. Sois prudent.

MINE ABANDONNÉE

On les trouve habituellement en profondeur. Celles-ci sont d'excellents endroits où récolter des minerais.

Prends garde aux générateurs d'araignées bleues. Les araignées bleues sont venimeuses et peuvent rapidement te submerger dans les étroits couloirs des mines.

Prends garde aux coulées et aux bassins de lave, qui sont assez fréquents.

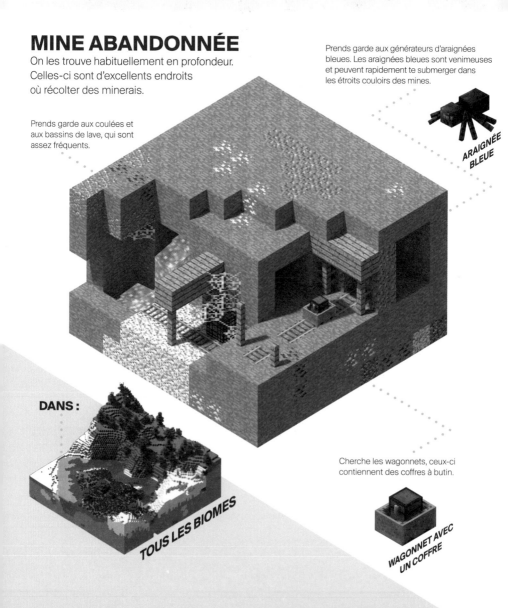

ARAIGNÉE BLEUE

DANS :

TOUS LES BIOMES

Cherche les wagonnets, ceux-ci contiennent des coffres à butin.

WAGONNET AVEC UN COFFRE

TEMPLE DU DÉSERT

Les temples du désert se trouvent dans les biomes déserts. Ils sont construits avec des blocs de grès et des blocs décoratifs d'argile durcie orange ou bleue. Tu peux récolter ces blocs pour les utiliser dans tes constructions.

Les temples du désert peuvent être partiellement enterrés dans le sable et sont donc parfois difficiles à repérer. Cherche les blocs de grès et d'argile orange, ou une tour qui dépasse.

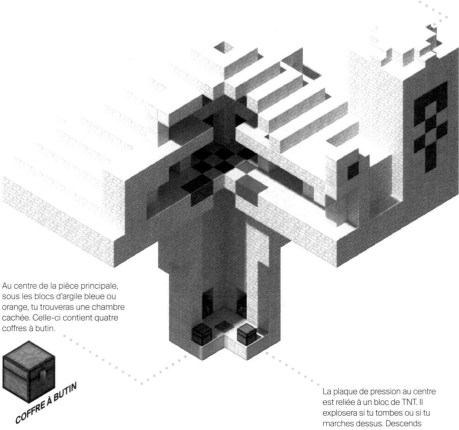

Au centre de la pièce principale, sous les blocs d'argile bleue ou orange, tu trouveras une chambre cachée. Celle-ci contient quatre coffres à butin.

COFFRE À BUTIN

La plaque de pression au centre est reliée à un bloc de TNT. Il explosera si tu tombes ou si tu marches dessus. Descends prudemment dans la chambre.

TNT

DANS :

DÉSERT

29

DONJON

Les donjons sont de petites pièces faites en blocs de pierre ou en pierre moussue. Ils se trouvent en sous-sol et tu peux y entrer assez facilement. Quand tu mines, regarde si tu vois de la pierre moussue ou des flammes qui tremblent.

Au centre du donjon, il y a un générateur de zombies, de squelettes ou d'araignées. Tu le désactiveras en plaçant des torches tout autour et dessus. Tu peux aussi utiliser le générateur pour t'entraîner au combat.

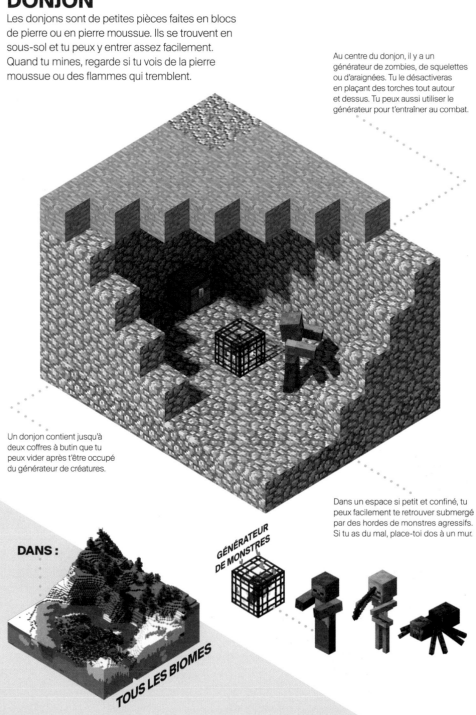

Un donjon contient jusqu'à deux coffres à butin que tu peux vider après t'être occupé du générateur de créatures.

Dans un espace si petit et confiné, tu peux facilement te retrouver submergé par des hordes de monstres agressifs. Si tu as du mal, place-toi dos à un mur.

DANS :

GÉNÉRATEUR DE MONSTRES

TOUS LES BIOMES

TEMPLE DE LA JUNGLE

Les mystérieux temples de la jungle sont hauts de trois étages et possèdent une entrée au niveau du sol. Ils sont composés de pierre, de pierre moussue et de pierre sculptée.

Dans le sous-sol tu trouveras trois leviers. Tire-les dans le bon ordre et ils révéleront une chambre secrète contenant un coffre à butin.

L'étage du haut est vide mais tu peux récolter la pierre moussue.

PIERRE MOUSSUE

Une fois que tu as collecté le butin, tu peux récupérer les trappes et la redstone pour toi.

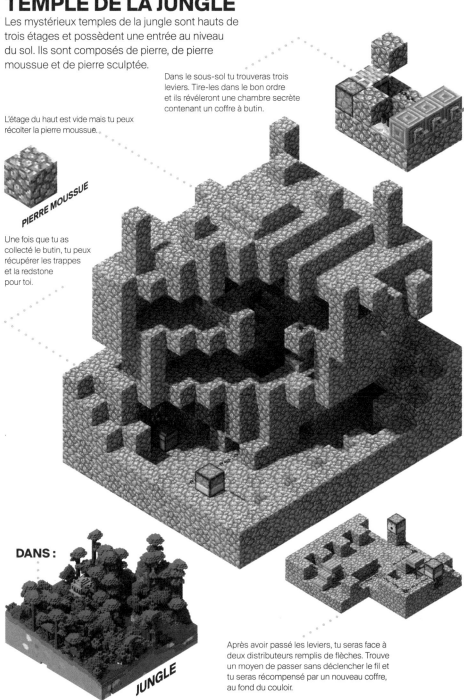

DANS :

JUNGLE

Après avoir passé les leviers, tu seras face à deux distributeurs remplis de flèches. Trouve un moyen de passer sans déclencher le fil et tu seras récompensé par un nouveau coffre, au fond du couloir.

IGLOO

Les igloos sont de petites structures en blocs de neige.
En cas d'urgence, ce sont des refuges très utiles.

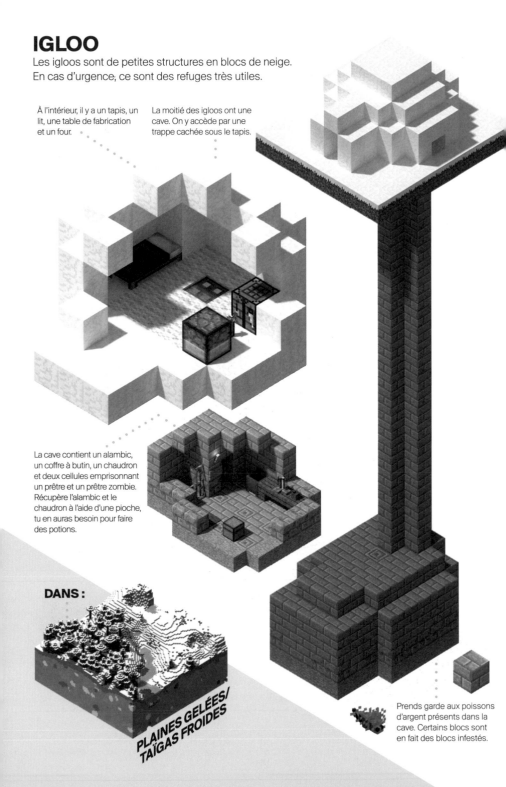

À l'intérieur, il y a un tapis, un lit, une table de fabrication et un four.

La moitié des igloos ont une cave. On y accède par une trappe cachée sous le tapis.

La cave contient un alambic, un coffre à butin, un chaudron et deux cellules emprisonnant un prêtre et un prêtre zombie. Récupère l'alambic et le chaudron à l'aide d'une pioche, tu en auras besoin pour faire des potions.

DANS :

PLAINES GELÉES/
TAÏGAS FROIDES

Prends garde aux poissons d'argent présents dans la cave. Certains blocs sont en fait des blocs infestés.

MONUMENT SOUS-MARIN

Ce sont de grandes structures qui se forment sous l'eau et qui sont composées de divers blocs de prismarin et éclairées par des lanternes aquatiques.

Ces monuments sont protégés par des gardiens et des anciens gardiens. Voir p. 58 et 59 pour en savoir plus sur ces créatures.

Chaque monument est différent mais tous contiennent au moins six salles.

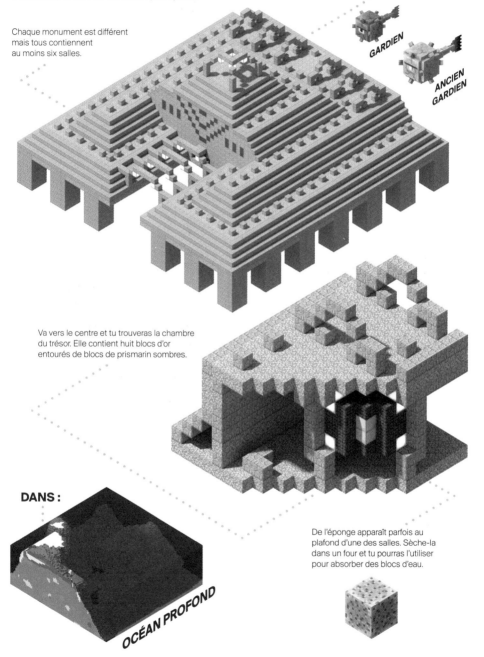

GARDIEN

ANCIEN GARDIEN

Va vers le centre et tu trouveras la chambre du trésor. Elle contient huit blocs d'or entourés de blocs de prismarin sombres.

DANS :

OCÉAN PROFOND

De l'éponge apparaît parfois au plafond d'une des salles. Sèche-la dans un four et tu pourras l'utiliser pour absorber des blocs d'eau.

VILLAGE DE PNJ

Les villages de PNJ abritent des villageois amicaux et comptent de nombreux bâtiments ayant chacun une fonction. Tu y trouveras des maisons mais aussi des fermes, des bibliothèques et des forges.

Prends garde aux villageois zombies, surtout dans les petits villages sans golem de fer.

Les villageois apparaissent à côté des bâtiments liés à leurs professions. Dans la journée, ils se promènent dans le village.

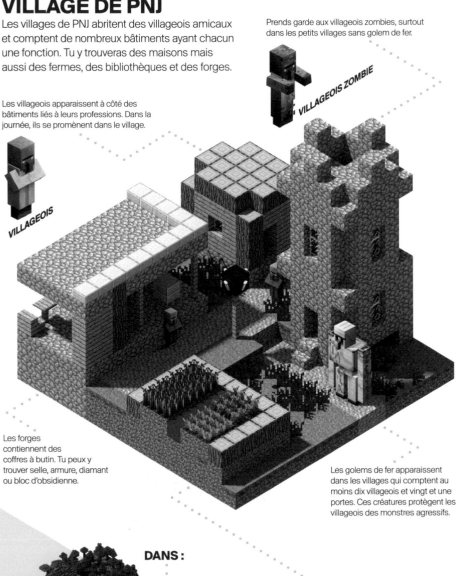

VILLAGEOIS ZOMBIE

VILLAGEOIS

Les forges contiennent des coffres à butin. Tu peux y trouver selle, armure, diamant ou bloc d'obsidienne.

Les golems de fer apparaissent dans les villages qui comptent au moins dix villageois et vingt et une portes. Ces créatures protègent les villageois des monstres agressifs.

DANS :

PLAINE/SAVANE/ TAÏGA/DÉSERT

Tu peux piller les fermes pour y prendre graines et légumes afin de les manger ou de les planter dans ta base.

FORT

Les forts se trouvent en profondeur, parfois
sous les océans. Tu devras en trouver
un si tu veux explorer l'End.

Lance des yeux du néant pour situer le fort le
plus proche. Chaque œil indique la bonne
direction pendant un court instant avant de
tomber. S'ils tombent à l'endroit où tu es, c'est
que le fort est juste sous tes pieds.

Les forts ont des tailles variées. Ils comptent
plusieurs salles reliées par un labyrinthe
de couloirs et d'escaliers. Il est facile
de s'y perdre, surtout quand tu
es à la recherche du
portail de l'End.

Cherche les coffres à butin.
Certains contiennent des objets
précieux : livres enchantés,
armures pour chevaux, etc.

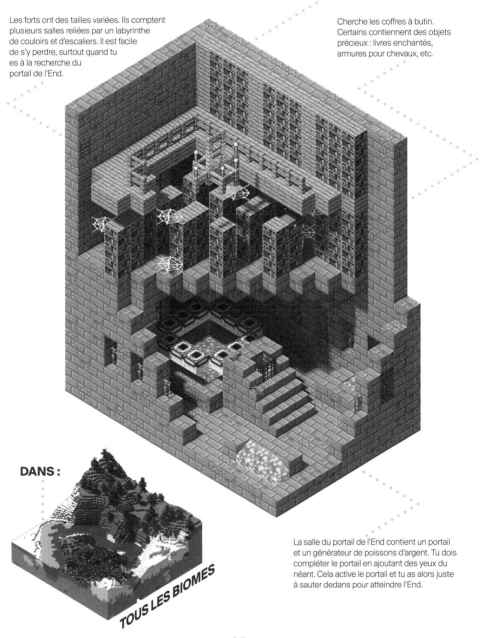

DANS :

TOUS LES BIOMES

La salle du portail de l'End contient un portail
et un générateur de poissons d'argent. Tu dois
compléter le portail en ajoutant des yeux du
néant. Cela active le portail et tu as alors juste
à sauter dedans pour atteindre l'End.

MANOIR DES BOIS

Les manoirs des bois sont rares et ne se trouvent que dans les forêts couvertes. Ils sont faits de pierres et de bois et possèdent plusieurs étages, de nombreuses salles et beaucoup de ressources utiles. Ça te semble trop beau ? Le piège, c'est qu'il y a là des monstres parmi les plus dangereux du jeu.

En plus des monstres agressifs habituels, il y a d'autres créatures dans ce manoir : des vindicateurs, des évocateurs et des Vexes. Ce sont de véritables boss, très dangereux. Les joueurs les plus forts peuvent les vaincre. Voir p. 64 et 65 pour en savoir plus.

VEX

VINDICATEUR

ÉVOCATEUR

Au rez-de-chaussée, il y a diverses zones d'agriculture : une ferme à arbres, une à champignons et une où poussent citrouilles et pastèques.

LIEU
D'APPARITION

FORÊT COUVERTE

LE SAVIEZ-VOUS ?

Les cartes d'exploration sont pratiques, elles permettent de trouver facilement les manoirs des bois. Voir p. 47 pour savoir comment t'en procurer une.

Plusieurs pièces sont accueillantes. Les salles à manger contiennent tables, pots de fleurs et bibliothèques. Tu peux aussi trouver des chambres à coucher dans le manoir.

LE SAVIEZ-VOUS ?

Les meilleurs explorateurs découvrent dans les manoirs des zones cachées qui renferment des objets précieux.

Dans le genre sinistre, tu pourras trouver des cellules de prison, des plateformes étranges et des sortes d'autels. Il est aussi possible de trouver une salle des cartes, ce qui suggère que les vindicateurs et les évocateurs sont en train de mijoter quelque chose.

2

CRÉATURES

Tu n'es pas seul dans ce monde mystérieux. Dans ce chapitre, tu vas découvrir les différences entre les créatures passives, neutres et agressives.
Tu apprendras où les trouver, comment t'en défendre et surtout, tu sauras finalement ce que chaque créature laisse tomber au sol quand elle est vaincue.

CRÉATURES PASSIVES

HOSTILITÉ

En explorant l'Overworld tu croises diverses créatures passives, toutes pouvant être facilement vaincues avec une arme ou un outil. La plupart relâchent des choses utiles comme de la viande, déjà cuite si tu les tues avec du feu.

LIEU D'APPARITION

TOUS LES BIOMES

POULET

RELÂCHE VIVANT

∞

COMPORTEMENT
Les poulets apparaissent dans les zones herbeuses. Ils se promènent en gloussant et pondent des œufs toutes les 5 à 10 minutes.

COMPÉTENCES SPÉCIALES
Quand ils tombent, les poulets ralentissent leur chute en battant des ailes afin d'éviter de subir des dégâts.

RELÂCHE EN MOURANT

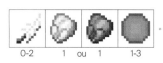

0-2   1   ou   1   1-3

15

9

LUMIÈRE NÉCESSAIRE

0

CHAUVE-SOURIS

MOJANG INFO	

Le petit cri aigu des chauves-souris a été changé plusieurs fois, les joueurs se plaignant qu'il leur cassait les oreilles.

COMPORTEMENT
Les chauves-souris apparaissent dans les grottes de l'Overworld. Elles volent un peu partout de manière désordonnée. Quand elles sont au repos, elles s'accrochent tête en bas au plafond.

COMPÉTENCES SPÉCIALES
Ce sont les seules créatures passives qui volent et qui apparaissent dans le noir.

RELÂCHE EN MOURANT

0

15

3

LUMIÈRE NÉCESSAIRE

0

COCHON

COMPORTEMENT

Les cochons vont en groupes de trois ou quatre, en grognant. Ils suivent à moins de cinq blocs d'eux les joueurs qui tiennent dans la main une carotte, une pomme de terre, une betterave ou une carotte sur un bâton.

Voir p. 75 pour fabriquer une canne à pêche. Les carottes se trouvent dans les fermes des villages de PNJ et les zombies en relâchent.

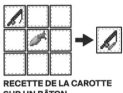

RECETTE DE LA CAROTTE SUR UN BÂTON

COMPÉTENCES SPÉCIALES

On peut chevaucher un cochon, mais il n'est pas très rapide. Tu dois lui mettre une selle puis le diriger avec une carotte sur un bâton. Il mange petit à petit la carotte donc fais attention à sa barre de vie. Tu peux trouver des selles dans les coffres naturellement générés. Un cochon qui a une selle sur son dos la relâche à sa mort.

RELÂCHE EN MOURANT

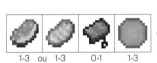

| 1-3 | ou | 1-3 | 0-1 | 1-3 |

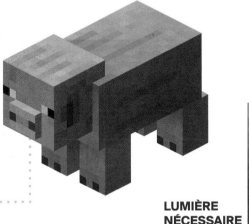

LUMIÈRE NÉCESSAIRE

15

9

0

MOUTON

COMPORTEMENT

Le mouton se promène, en bêlant par moments et en mangeant de l'herbe.

COMPÉTENCES SPÉCIALES

Le mouton relâche un bloc de laine en mourant mais il en donne jusqu'à trois – et reste vivant – si tu le tonds avec des cisailles. La laine repousse après. Tu peux colorer un mouton avant de le tondre. Les colorants sont faits à partir de fleurs, de lapis-lazuli, de fèves de cacao et de sacs d'encre.

RELÂCHE VIVANT

1-3

RELÂCHE EN MOURANT

| 1 | 1-2 | ou | 1-2 | 1-3 |

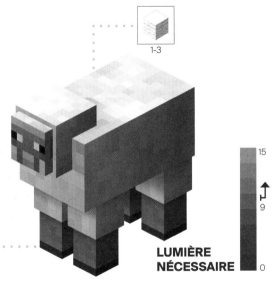

LUMIÈRE NÉCESSAIRE

15

9

0

OCELOT

COMPORTEMENT
Les ocelots se déplacent sans bruit et attaquent parfois les poulets. Ils évitent les joueurs et les monstres agressifs.

COMPÉTENCES SPÉCIALES
Les ocelots ne subissent pas de dégâts de chute. Ils peuvent être apprivoisés : ils deviennent des chats si tu leur donnes du poisson cru. Place-toi à dix blocs d'un ocelot et attends qu'il vienne. Si ça marche, il te regarde et vient vers toi. Ne fais pas de gestes brusques sinon il aura peur. Donne-lui le poisson pour qu'il se transforme en chat tigré, noir et blanc ou siamois. Un chat apprivoisé te suit partout et n'attaque plus les poulets. Les ocelots et les chats apprivoisés effraient les creepers.

LIEU D'APPARITION

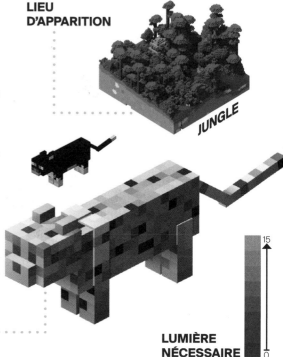

JUNGLE

RELÂCHE EN MOURANT

1-3

LUMIÈRE NÉCESSAIRE

15

0

LAPIN

LE SAVIEZ-VOUS ? ↗

COMPORTEMENT
Les lapins sautillent partout, en fuyant les joueurs, les loups et les monstres agressifs. Ils cherchent des carottes pour les manger.

Le lapin apparaît dans les déserts, les forêts de fleurs, la taïga, les plaines glacées et les variantes de ces biomes.

COMPÉTENCES SPÉCIALES
Le lapin approche si tu tiens une carotte ou un pissenlit en main et que tu es à moins de 8 blocs de lui. Il saute des falaises pour atteindre des carottes mais ne traverse pas la lave.

RELÂCHE EN MOURANT

| 0-1 | 0-1 ou 0-1 | 0-1 | 1-3 |

LUMIÈRE NÉCESSAIRE

15

0

42

POULPE

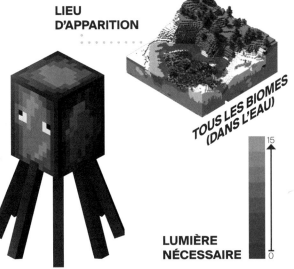

TOUS LES BIOMES
(DANS L'EAU)

COMPORTEMENT
Les poulpes utilisent leurs tentacules pour nager. S'ils sont attaqués, ils senfuient. Hors de l'eau ils suffoquent.

COMPÉTENCES SPÉCIALES
Les poulpes peuvent remonter le courant. Ils ont aussi des dents impressionnantes, bien qu'inoffensives.

RELÂCHE EN MOURANT

I-3	I-3

LUMIÈRE
NÉCESSAIRE

15

0

CHEVAL

LIEU
D'APPARITION

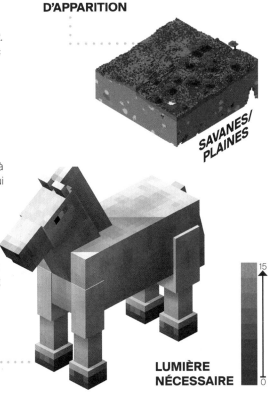

SAVANES/
PLAINES

COMPORTEMENT
Les chevaux vont en groupe de deux à six. Il existe trente-cinq couleurs de robe avec aussi des combinaisons. L'âne est une variante plus petite du cheval. Un cheval et un âne accouplés donnent une mule.

COMPÉTENCES SPÉCIALES
Le cheval est un moyen de transport très rapide mais il faut l'apprivoiser. Pour cela, monte dessus de manière répétée jusqu'à ce qu'il arrête de t'éjecter. Ensuite, mets-lui une selle pour le monter. Tu trouves des selles dans les coffres naturellement générés. Ânes et mules peuvent aussi porter des coffres et des objets pour toi. En mourant, les chevaux relâchent les équipements qu'ils portaient. Les ânes et les mules relâchent leur coffre, s'ils en ont un, ainsi que son contenu.

RELÂCHE EN MOURANT

0-2	0-1	0-1	0-1	1-3

LUMIÈRE
NÉCESSAIRE

15

0

VACHE

COMPORTEMENT
Les vaches voyagent en groupe et on peut les entendre meugler depuis assez loin.

COMPÉTENCES SPÉCIALES
Tu peux traire les vaches en utilisant un seau. Voir p. 73 pour la recette du seau. Elles te suivront si tu tiens du blé à la main en étant à moins de dix blocs d'elles. Elles relâchent parfois du cuir en mourant, qui peut être utilisé dans plusieurs recettes de fabrication. Elles relâcheront aussi de la viande, qui sera déjà cuite si elles meurent par le feu.

RELÂCHE EN MOURANT

| 0-2 | 1-3 | or | 1-3 | 1-3 |

LUMIÈRE NÉCESSAIRE

15

9

0

CHAMPIMEUH

COMPORTEMENT
Les champimeuhs vivent dans les biomes champignons. Elles s'y baladent en meutes de quatre à huit en évitant le danger, comme les falaises ou la lave.

LIEU D'APPARITION

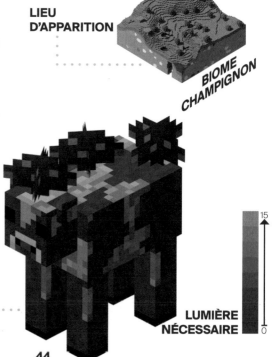

BIOME CHAMPIGNON

COMPÉTENCES SPÉCIALES
Tu peux traire les champimeuhs avec un seau. Tu peux aussi le faire avec un bol pour faire de la soupe de champignons. Tu peux les tondre et récolter jusqu'à cinq champignons rouges, ce qui en fait des vaches normales. Autrement, elles sont très semblables aux vaches normales : elles peuvent relâcher du cuir en mourant et jusqu'à trois pièces de viande cuite, si elles meurent par le feu.

RELÂCHE EN MOURANT

| 0-2 | 1-3 | or | 1-3 | 1-3 |

LUMIÈRE NÉCESSAIRE

15

0

LAMA

COMPORTEMENT

Les lamas aiment bien rester en meute. Si un lama est chevauché par un joueur, les lamas proches de lui suivront et formeront une caravane. Ils sont agressifs envers les loups et ils leur cracheront dessus, ce qui les blessera légèrement. Ils cracheront aussi sur les joueurs qui oseront les attaquer.

COMPÉTENCES SPÉCIALES

Tu peux chevaucher les lamas. Tu devras d'abord les apprivoiser en montant dessus plusieurs fois, avec les mains vides, jusqu'à ce qu'ils arrêtent de te faire tomber. Après ça, tu peux équiper les lamas avec un coffre. Tu peux aussi les couvrir d'un tapis, afin de changer l'apparence de leurs selles.

RELÂCHE EN MOURANT

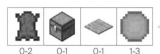

| 0-2 | 0-1 | 0-1 | 1-3 |

LIEU D'APPARITION

SAVANE

COLLINES EXTRÊMES

MOJANG INFO

Jeb a demandé sur Twitter quelle créature les joueurs voulaient, entre les lamas ou les alpagas. Les lamas ont gagné le vote et ont donc été ajoutés au jeu.

LE SAVIEZ-VOUS ?

Chaque lama a des points de force qui déterminent combien d'objets il peut porter. En fait, ils sont tous aussi adorables les uns que les autres.

15

LUMIÈRE NÉCESSAIRE

0

VILLAGEOIS

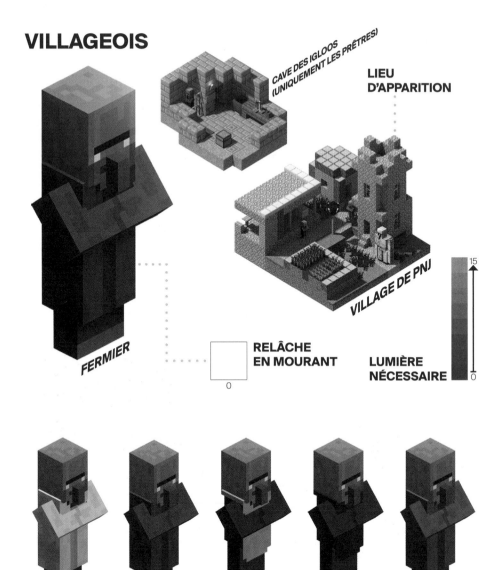

CAVE DES IGLOOS
(UNIQUEMENT LES PRÊTRES)

LIEU D'APPARITION

VILLAGE DE PNJ

FERMIER

RELÂCHE EN MOURANT

0

LUMIÈRE NÉCESSAIRE

15

0

LIBRAIRE

PRÊTRE

BOUCHER

FORGERON

IDIOT

VARIANTES

Les villageois sont des humanoïdes qui exercent cinq professions différentes : fermier, libraire, prêtre, forgeron ou boucher. Le sixième villageois n'a pas de profession, c'est l'idiot du village. Pour chaque profession, il y a plusieurs carrières possibles. Ainsi, les fermiers sont pêcheurs, bergers ou archers.

COMPORTEMENT

De jour, les villageois se promènent dans le village et entretiennent leurs relations sociales. Ils semblent partager leur nourriture avec ceux qui n'en ont pas assez. La nuit, ou quand il pleut, ils rentrent chez eux pour fuir les zombies et éviter d'être transformés en villageois zombies.

COMPÉTENCES SPÉCIALES

Les villageois s'accouplent et donnent naissance à des bébés jusqu'à ce que le nombre de villageois adultes soit supérieur à 35 % du nombre de portes dans le village. Chaque villageois possède huit emplacements d'inventaire secrets et ils collectent tout ce qu'ils trouvent.

COMMERCE AVEC LES VILLAGEOIS

À l'exception de l'idiot, les villageois adultes échangent des objets contre des émeraudes. Interagis avec un villageois et un menu te présentera une offre de troc. Place l'objet demandé dans l'emplacement vide à gauche et l'objet qu'il te propose en échange apparaît sur la droite afin que tu puisses le récupérer.

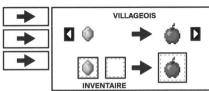

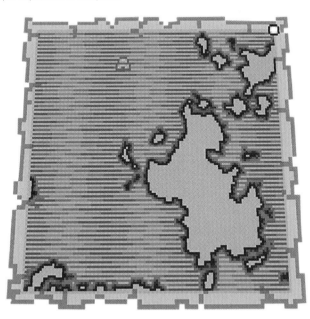

Certains libraires, connus sous le nom de cartographes, pourront t'échanger des cartes d'exploration contre des émeraudes et une boussole. Ces cartes sont très utiles pour trouver des trésors. Tu peux les utiliser pour localiser les manoirs des bois et les monuments sous-marins.

CRÉATURES NEUTRES

Toutes les créatures ne sont pas de passives sources de nourriture. Certaines se classent dans la catégorie des créatures dites neutres, ce qui veut dire que leur comportement est variable et qu'elles peuvent devenir agressives. Garde un œil sur elles car elles relâchent des objets utiles à ta progression.

LOUP

POINTS DE VIE	8 SI SAUVAGE	20 SI APPRIVOISÉ
PUISSANCE D'ATTAQUE	3-6 SI SAUVAGE	4 SI APPRIVOISÉ
COMMENT LE VAINCRE		
OBJETS RELÂCHÉS	1-3	

15

0

LUMIÈRE NÉCESSAIRE

COMPORTEMENT
Les loups se déplacent en meutes de quatre et attaqueront à vue les lapins, les squelettes et les moutons.
Un loup devient agressif envers ceux qui l'attaquent (joueur ou monstre).
Les loups agressifs ont les yeux rouges et grognent.

LIEU D'APPARITION

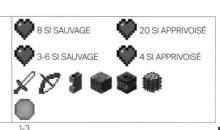

TAÏGA

FORÊT

COMPÉTENCES SPÉCIALES
Tu peux apprivoiser un loup en lui donnant des os. Une fois apprivoisé, il te suit partout et porte un collier rouge. Le loup apprivoisé peut se téléporter vers toi et il attaque toutes les créatures que tu attaques, sauf les creepers.

MÉTHODE D'ATTAQUE
Un loup agressif te foncera dessus et t'infligera des dégâts à chaque coup.

OURS POLAIRE

POINTS DE VIE	 30
PUISSANCE D'ATTAQUE	4-9
COMMENT LE VAINCRE	
OBJETS RELÂCHÉS	

0-2 0-2 1-3

LUMIÈRE NÉCESSAIRE

COMPORTEMENT
Les ours polaires sont pacifiques. Ils deviennent hostiles s'ils sont attaqués ou si un joueur s'approche de leurs petits. Les oursons s'enfuient en cas d'attaque. Dans ce cas, les adultes dans une zone de quarante et un blocs de côté et de hauteur deviennent hostiles et attaquent.

COMPÉTENCES SPÉCIALES
Les ours polaires sont d'excellents nageurs. Ils relâchent parfois du poisson en mourant.

LIEU D'APPARITION

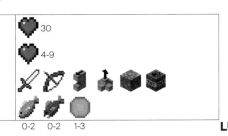

MONTAGNES GLACÉES

PICS GLACÉS

PLAINES GLACÉES

MÉTHODE D'ATTAQUE
Pour t'attaquer, les ours polaires se dressent sur les pattes arrière et te frappent par le dessus avec leurs griffes.

MOJANG INFO
Jeb, le développeur principal de Minecraft, a ajouté les ours polaires au jeu car sa femme les aime beaucoup.

ARAIGNÉE

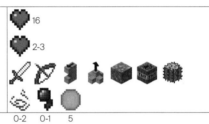

POINTS DE VIE		16
PUISSANCE D'ATTAQUE		2-3
COMMENT LA VAINCRE		
OBJETS RELÂCHÉS		
	0-2 0-1 5	

LUMIÈRE NÉCESSAIRE

COMPORTEMENT
Les araignées attaquent joueurs et golems de fer si la luminosité est inférieure à 11. Si elle est supérieure, elles n'attaquent qu'en cas de provocation. Une fois qu'elles sont hostiles elles te poursuivent même si la luminosité augmente.

COMPÉTENCES SPÉCIALES
Les araignées montent aux murs et passent les obstacles. Elles sont insensibles au poison.

MÉTHODE D'ATTAQUE
Les araignées foncent sur leurs adversaires en infligeant des dégâts à chaque coup.

LIEU D'APPARITION

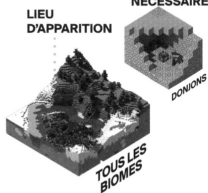

DONJONS

TOUS LES BIOMES

VARIANTE : ARAIGNÉE BLEUE

COMPÉTENCES SPÉCIALES
Les araignées bleues injectent un venin qui agit un bon moment. Elles passent dans un bloc de large et un demi-bloc de haut.

COMMENT LES VAINCRE

LIEU D'APPARITION

MINE ABANDONN[...]

ARAIGNÉE BLEUE

LE SAVIEZ-VOUS ?

Parfois, une araignée apparaît surmontée d'un squelette. Ces horribles créatures combinent la vitesse de l'araignée avec les talents d'archer du squelette. Elles sont vraiment de redoutables adversaires.

ENDERMEN

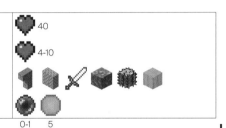

POINTS DE VIE	40
PUISSANCE D'ATTAQUE	4-10
COMMENT LA VAINCRE	
OBJETS RELÂCHÉS	0-1 5

LUMIÈRE NÉCESSAIRE

COMPORTEMENT

Les endermens ne sont pas agressifs avec les joueurs, sauf s'ils sont provoqués soit par une attaque soit par un regard direct. Une fois provoqués, ils tremblent, crient et se ruent sur toi. Les endermens attaquent aussi à vue les endermites (voir p. 61).

LIEU D'APPARITION

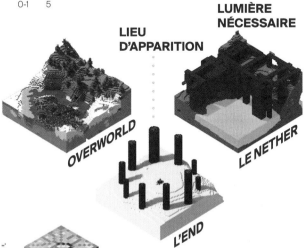

OVERWORLD

LE NETHER

L'END

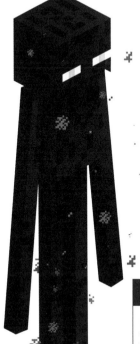

COMPÉTENCES SPÉCIALES

Les endermens se téléportent pour éviter le danger. Ils lâchent des perles du néant qui permettent de se téléporter en les lançant. Ils ramassent et déplacent aussi certains blocs.

MÉTHODE D'ATTAQUE

Ils se téléportent vers toi pour t'infliger des dommages.

MOJANG INFO

Les endermens détestent les endermites. Tu peux donc utiliser ces petits insectes pour les distraire. Par exemple, tu peux placer une endermite dans un wagonnet que tu fais passer devant les endermens pour les attirer loin de toi ou les faire tomber dans un trou.

ASTUCE ↗

Place une citrouille sur ta tête et les endermens resteront passifs, même si tu les regardes. Voir p. 89 pour apprendre comment enfiler une armure.

51

MONSTRES HOSTILES

Les monstres hostiles peuvent te rendre la vie impossible et te renvoyer facilement à l'écran de réapparition. Ils sont très dangereux si tu les rencontres dans un espace confiné ou en minant sous la surface. Cependant, comme les créatures neutres, ils relâchent des objets utiles si tu arrives à les vaincre.

ZOMBIE

POINTS DE VIE		20
PUISSANCE D'ATTAQUE		2-4
COMMENT LE VAINCRE		
OBJETS RELÂCHÉS		

0-2 RARE RARE RARE RARE RARE 0-1 5-12

LUMIÈRE NÉCESSAIRE

15

7

0

LIEU D'APPARITION

TOUS LES BIOMES

COMPORTEMENT

Les zombies apparaissent par groupes de quatre quand la luminosité est inférieure à 7. Certains portent une armure qu'ils relâchent en mourant. Ils n'apparaissent pas sur des blocs transparents comme le verre. Ils se déplacent lentement, les bras en avant, en faisant un bruit étrange. Ils prennent feu au soleil. Ils recherchent donc l'obscurité dès que le soleil se lève.

LE SAVIEZ-VOUS ?

Contrairement à l'équipement qui apparaît naturellement sur eux, l'équipement qu'ils ramassent par terre sera toujours relâché à leur mort. Peut-être ont-ils des remords ?

COMPÉTENCES SPÉCIALES

Les zombies cassent les portes en bois si tu joues en Difficile. Ils ramassent les objets au sol, notamment les armes et les outils qui leur sont utiles, ainsi que les pièces d'armure dont ils s'équipent. Quand ils portent un casque, les zombies ne craignent plus la lumière du soleil.

OBJETS UTILES RELÂCHÉS

Les zombies relâchent de zéro à deux pièces de viande putréfiée que tu peux manger en cas d'urgence. Attention, cela peut te donner une indigestion. Tu peux aussi utiliser cette viande pour apprivoiser des loups ou pour les guérir. Les zombies relâchent aussi l'équipement qu'ils ont ramassé (armes, outils, pièces d'armure). Ils perdent la tête s'ils sont tués par un creeper.

MÉTHODE D'ATTAQUE

Les zombies pourchassent les joueurs, les villageois et les golems de fer à moins de quarante blocs d'eux. Ils ne sont pas très dangereux tant qu'ils sont seuls. Ils te rentrent dedans en t'infligeant des dégâts et en te faisant reculer. Ils peuvent alors te faire tomber.

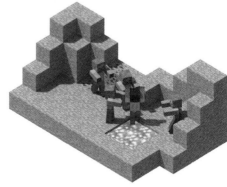

VARIANTES DES ZOMBIES

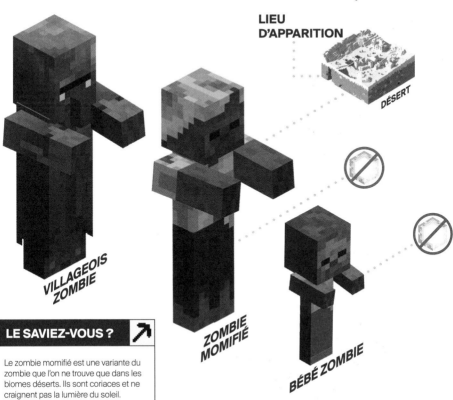

LIEU D'APPARITION

DÉSERT

VILLAGEOIS ZOMBIE

ZOMBIE MOMIFIÉ

BÉBÉ ZOMBIE

LE SAVIEZ-VOUS ?

Le zombie momifié est une variante du zombie que l'on ne trouve que dans les biomes déserts. Ils sont coriaces et ne craignent pas la lumière du soleil.

CREEPER

POINTS DE VIE	❤ 20
PUISSANCE D'ATTAQUE	❤ 49
COMMENT LE VAINCRE	🗡 🏹 🔪 ⬛ 💣 🟫
OBJETS RELÂCHÉS	⬟ 💿 🟫 ⚪

0-2   0-1   0-1   5

LUMIÈRE NÉCESSAIRE

COMPORTEMENT
Les creepers se déplacent presque silencieusement, en cherchant des joueurs à évincer. Ils possèdent un cœur de TNT qui explose lorsqu'ils sont assez proches d'un joueur.

LIEU D'APPARITION

TOUS LES BIOMES

COMPÉTENCES SPÉCIALES
Les creepers sont immunisés contre la lumière du soleil et continuent donc à traumatiser les joueurs pendant la journée. Lorsqu'ils poursuivent leurs cibles, ils sont aussi capables de monter les échelles et les vignes.

MÉTHODE D'ATTAQUE
Quand ils sont à moins de trois blocs d'un joueur, les creepers émettent un sifflement et un flash de lumière avant d'exploser. Une fois qu'ils commencent à siffler, tu as 1,5 seconde pour sortir de la zone (sept blocs) pour empêcher qu'elle se produise.

OBJETS UTILES RELÂCHÉS

Les creepers relâchent de la poudre à canon pour fabriquer des blocs de TNT. Si la flèche d'un squelette les tue, ils relâchent des disques. Il faut un jukebox pour les écouter, fait de planches en bois et d'un diamant.

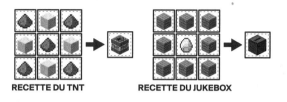

RECETTE DU TNT

RECETTE DU JUKEBOX

VARIANTE : CREEPER CHARGÉ

LIEU D'APPARITION

Quand la foudre tombe à moins de trois ou quatre blocs d'un creeper normal.

ÉCLAIR

TOUS LES BIOMES

COMPÉTENCES SPÉCIALES

L'explosion d'un creeper chargé est deux fois plus puissante que celle d'un creeper normal. Cette explosion fait perdre la tête à tous les zombies, squelettes et creepers qui se trouvent dans la zone d'explosion. Ces têtes peuvent être utilisées comme décoration ou portées à la place d'un casque. Une tête de monstre réduit le risque que des monstres du même type te reconnaissent en tant que joueur et qu'ils t'attaquent.

SQUELETTE

POINTS DE VIE	 20
PUISSANCE D'ATTAQUE	1-5
COMMENT LE VAINCRE	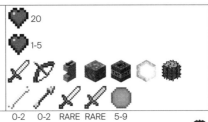
OBJETS RELÂCHÉS	0-2 0-2 RARE RARE 5-9

15

7

0

LUMIÈRE NÉCESSAIRE

COMPORTEMENT
Les squelettes ont les os qui claquent quand ils recherchent des joueurs. Le matin, ils préfèrent l'obscurité pour ne pas brûler.

MÉTHODE D'ATTAQUE
Les squelettes te poursuivent à vue. Quand ils sont à moins de huit blocs de toi, ils te tirent dessus avec des flèches et tournent autour de toi pour ne pas être touchés.

LIEU D'APPARITION

FORTERESSES DU NETHER

TOUS LES BIOMES

DONJONS

COMPÉTENCES ET OBJETS RELÂCHÉS
Les squelettes montent aux échelles, ramassent les objets, notamment les outils, armes et armures qu'ils utilisent ensuite et peuvent aussi apparaître en armure. À leur mort, ils relâchent ce qu'ils ont ramassé par terre et parfois aussi l'équipement qu'ils portaient à leur apparition.

VARIANTE : VAGABOND
Il n'y a de vagabonds que dans les biomes de neige. Ils tirent des flèches qui ralentissent la cible pendant 30 s. À leur mort, ils relâchent parfois une flèche.

LIEUX D'APPARITION

PICS GLACÉS

MONTAGNES GLACÉES

PLAINES GLACÉES

CAVALIERS SQUELETTES

LUMIÈRE NÉCESSAIRE

15

POINTS DE VIE	❤ 35
PUISSANCE D'ATTAQUE	❤ 1-10
COMMENT LE VAINCRE	🏹
OBJETS RELÂCHÉS	/ / ⬡

0-2 0-2 5

7

0

COMPORTEMENT

Les cavaliers squelettes se déplacent rapidement et encerclent leur adversaire comme les squelettes. Si tu tues un cavalier squelette, son cheval est apprivoisé et tu peux le seller et le monter.

ÉCLAIR

APPARAÎT QUAND :

Un cheval squelettique apparaît quand un cheval normal est frappé par la foudre. Quand un joueur est à moins de dix blocs d'un cheval squelettique, la foudre le frappe à nouveau et il se transforme en quatre cavaliers squelettes.

TOUS LES BIOMES

COMPÉTENCES SPÉCIALES

Les cavaliers squelettes apparaissent avec des arcs et des casques enchantés.

MÉTHODE D'ATTAQUE

Les cavaliers squelettes attaquent le joueur à vue, en lui tirant dessus avec leurs arcs.

GARDIEN

POINTS DE VIE	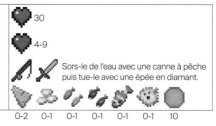 30
PUISSANCE D'ATTAQUE	4-9
COMMENT LE VAINCRE	Sors-le de l'eau avec une canne à pêche puis tue-le avec une épée en diamant.
OBJETS RELÂCHÉS	0-2 0-1 0-1 0-1 0-1 0-1 10

LUMIÈRE NÉCESSAIRE

15

0

COMPORTEMENT

Les gardiens protègent le trésor des monuments sous-marins. Ils patrouillent dedans et attaquent à vue joueurs et poulpes.

MÉTHODE D'ATTAQUE

Les gardiens te tirent dessus avec leur laser, qui peut t'atteindre à quinze blocs de distance. Ils font aussi sortir leurs épines défensives qui infligent 2 points de dégâts (un cœur) si tu attaques lorsqu'elles sont déployées.

COMPÉTENCES SPÉCIALES

Malgré le fait qu'ils vivent dans l'eau, les gardiens ne meurent pas sur la terre. Par contre, ils émettent des grognements et sautillent.

LIEU D'APPARITION

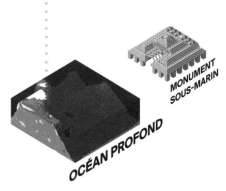

MONUMENT SOUS-MARIN

OCÉAN PROFOND

LE SAVIEZ-VOUS ?

Il ne t'a pas échappé que les monuments sous-marins se forment sous l'eau. Du coup, si tu veux en visiter un, tu ferais mieux d'enchanter ton équipement avec Apnée et Agilité aquatique.

ANCIEN GARDIEN

POINTS DE VIE	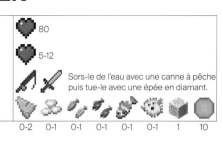 80
PUISSANCE D'ATTAQUE	5-12
COMMENT LE VAINCRE	Sors-le de l'eau avec une canne à pêche puis tue-le avec une épée en diamant.
OBJETS RELÂCHÉS	0-2 0-1 0-1 0-1 0-1 0-1 1 10

LUMIÈRE NÉCESSAIRE

COMPORTEMENT

Il y a trois anciens gardiens dans chaque monument sous-marin, un dans la pièce supérieure et deux dans les ailes du bâtiment. Ils gardent le trésor et attaquent à vue joueurs et poulpes.

COMPÉTENCES SPÉCIALES

Comme les gardiens, les anciens gardiens ne meurent pas sur la terre ferme.

MÉTHODE D'ATTAQUE

Les anciens gardiens ont la même attaque laser et les mêmes épines que les gardiens, mais ils infligent aussi l'effet « fatigue de minage III » pendant 5 minutes. Les blocs que tu mines se cassent alors moins vite et ta vitesse d'attaque est réduite.

LIEU D'APPARITION

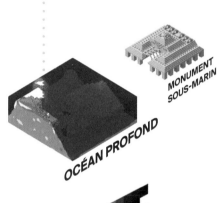

MONUMENT SOUS-MARIN

OCÉAN PROFOND

MOJANG INFO

Si les anciens gardiens ne t'infligeaient pas l'effet « fatigue de minage III », les monuments sous-marins seraient faciles à conquérir. Pour les développeurs, il était difficile de montrer ce qui se passait dans ce cas. Ils décidèrent d'afficher sur l'écran une tête fantomatique de gardien pour symboliser la malédiction. C'est maintenant un des moments les plus effrayants et connus du jeu !

POISSON D'ARGENT

POINTS DE VIE	8
PUISSANCE D'ATTAQUE	1
COMMENT LE VAINCRE	
OBJETS RELÂCHÉS	

5

15

11

0

LUMIÈRE NÉCESSAIRE

COMPORTEMENT

Lorsqu'ils n'apparaissent pas directement grâce au générateur de monstres d'un fort, les poissons d'argent vivent dans des blocs infestés et surgissent de ceux-ci quand un joueur les mine.

COMPÉTENCES SPÉCIALES

Quand il est attaqué, un poisson d'argent peut appeler d'autres poissons d'argent à l'aide. Ils peuvent te voir à travers les murs et utiliser cette capacité pour trouver un moyen de t'atteindre.

MÉTHODE D'ATTAQUE

Les poissons d'argent se jettent sur toi pour t'infliger des dégâts et te pousser en arrière. Tu peux facilement te retrouver submergé.

APPARAÎT QUAND :

Les poissons d'argent apparaissent quand des blocs infestés sont cassés. Tu peux en trouver dans un fort, une cave d'igloo ou dans les biomes collines extrêmes. Ils apparaissent aussi grâce à des générateurs de monstres dans les forts.

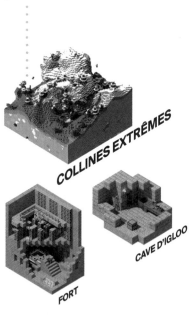

COLLINES EXTRÊMES

CAVE D'IGLOO

FORT

LE SAVIEZ-VOUS ?

Si tu tues un poisson d'argent en un coup avec une épée en diamant, les autres poissons d'argent ne bronchent pas.

ENDERMITE

POINTS DE VIE	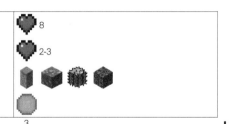 8
PUISSANCE D'ATTAQUE	2-3
COMMENT LE VAINCRE	
OBJETS RELÂCHÉS	

3

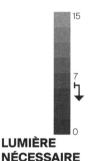

15

7

0

LUMIÈRE NÉCESSAIRE

COMPORTEMENT

Les endermites sont les créatures les plus petites. Elles apparaissent parfois quand une perle de l'End est lancée. Elles courent en tous sens avec une traînée de particules violettes. Elles attaquent les joueurs à moins de seize blocs ou essayent de s'enfouir dans des blocs.

COMPÉTENCES

Les endermites disparaissent 2 minutes après leur apparition. Si l'une d'elles est attaquée, toutes ripostent.

MÉTHODE D'ATTAQUE

Les endermites se ruent sur toi et t'infligent des dégâts en te rentrant dedans. Tu peux vite te retrouver submergé.

LIEU D'APPARITION

Les endermites apparaissent parfois quand une perle de l'End est lancée.

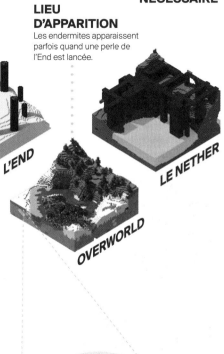

L'END

LE NETHER

OVERWORLD

SORCIÈRE

POINTS DE VIE	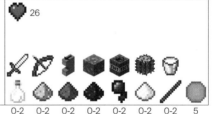 26
PUISSANCE D'ATTAQUE	
COMMENT LA VAINCRE	
OBJETS RELÂCHÉS	

0-2 0-2 0-2 0-2 0-2 0-2 0-2 5

15

7

0

LUMIÈRE NÉCESSAIRE

COMPORTEMENT
Les sorcières recherchent des joueurs, et leurs gloussements révèlent leur présence.

OBJETS UTILES RELÂCHÉS
Les sorcières peuvent relâcher jusqu'à trois objets différents (et jusqu'à deux de chaque). Elles relâchent donc au maximum six objets.

MÉTHODE D'ATTAQUE
Les sorcières lancent des potions jetables offensives (poison, lenteur, faiblesse et dégâts), tout en buvant des potions pour se soigner.

LIEU D'APPARITION
Les sorcières peuvent apparaître si la foudre tombe à moins de quatre blocs d'un villageois.

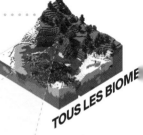

TOUS LES BIOMES

ÉCLAIR

CABANE ABANDONNÉE

LE SAVIEZ-VOUS ?

Les sorcières ne savent pas bien faire plusieurs choses à la fois. Ainsi, elles ne savent pas attaquer et boire une potion de soin en même temps. Frappe-la quand tu vois qu'elle se soigne.

MOJANG INFO

Pendant longtemps, les sorcières n'ont fait aucun bruit. Les développeurs leur ont finalement donné des bruitages, mais ils n'en ont pas informé les joueurs. Ceux-ci, lorsqu'il exploraient des grottes, ont alors entendu des sons alarmants provenant de zones sombres. Certains ont cru que le jeu était hanté !

SLIME

POINTS DE VIE	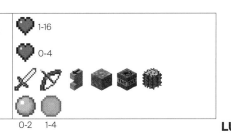	1-16
PUISSANCE D'ATTAQUE		0-4
COMMENT LA VAINCRE		
OBJETS RELÂCHÉS		

0-2   1-4

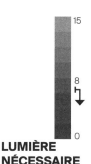

15

8

0

LUMIÈRE NÉCESSAIRE

COMPORTEMENT
Les slimes ont trois tailles différentes : gros, petits et minuscules. Ils sautillent partout pour attaquer des joueurs et ils agressent aussi les golems de fer.

COMPÉTENCES SPÉCIALES
Les slimes savent nager. Ils peuvent aussi se multiplier. Si tu bats un gros slime, il se divise en petits slimes. Et si tu bats un petit slime, il se divise en minuscules slimes. Les gros et les petits slimes ne relâchent que des points d'expérience, mais les minuscules relâchent aussi des boules de slime que tu peux utiliser dans de nombreuses recettes, comme les pistons collants ou les laisses.

LIEU D'APPARITION
Les slimes sont dans tous les biomes de l'Overworld sous le niveau 40. Dans les marais, on le voit entre les niveaux 50 et 70.

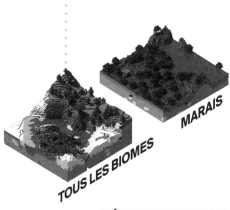

MARAIS

TOUS LES BIOMES

MÉTHODE D'ATTAQUE
Les slimes te rentrent dedans en t'infligeant des dégâts à chaque coup.

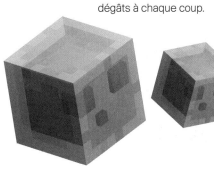

ILLAGEOIS

Les illageois sont une variante agressive des gentils villageois. Ils leur ressemblent mais sont habillés en robes sombres et leur peau est d'un gris malsain. Il en existe deux types, le vindicateur et l'évocateur, qui peuvent être trouvés dans les manoirs en bois.

LIEU D'APPARITION

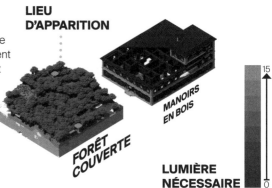

MANOIRS EN BOIS

FORÊT COUVERTE

LUMIÈRE NÉCESSAIRE

15

0

VARIANTE : VINDICATEUR

POINTS DE VIE	4
PUISSANCE D'ATTAQUE	7-19
COMMENT LE VAINCRE	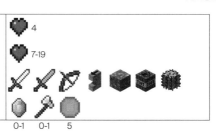
OBJETS RELÂCHÉS	0-1 0-1 5

COMPORTEMENT
Les vindicateurs vont en groupes de deux ou trois à l'intérieur des manoirs en bois qui se trouvent dans les forêts couvertes. Ils sont agressifs envers les joueurs et les villageois normaux.

MÉTHODE D'ATTAQUE
Les vindicateurs se déplacent rapidement pour atteindre leur cible, en brandissant leurs haches dévastatrices pour te blesser.

OBJETS UTILES RELÂCHÉS
Les vindicateurs relâchent quelquefois en mourant des émeraudes, bien utiles pour commercer avec les PNJ dles villages.

MOJANG INFO

Les illageois étaient appelés autrefois villageois malades ou villageois infernaux. Leur nom actuel est plus simple.

VARIANTE : ÉVOCATEUR

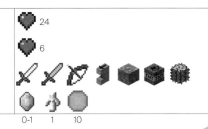

POINTS DE VIE	24
PUISSANCE D'ATTAQUE	6
COMMENT LE VAINCRE	
OBJETS RELÂCHÉS	0-1 1 10

COMPORTEMENT
Les évocateurs apparaissent un par un dans les manoirs en bois et sont hostiles aux joueurs et aux villageois normaux.

OBJETS UTILES RELÂCHÉS
En mourant, les évocateurs donnent un objet rare et puissant, le totem d'immortalité. Quand il est tenu, cet objet empêche la mort de son porteur.

MÉTHODE D'ATTAQUE
L'évocateur a une attaque spéciale qui fait sortir du sol des mâchoires aiguisées pour mordre son adversaire. Les évocateurs peuvent aussi invoquer trois vexes qui les aideront à combattre.

VEX

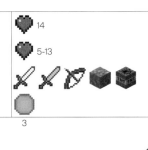

POINTS DE VIE	14
PUISSANCE D'ATTAQUE	5-13
COMMENT LES TUER	
OBJETS RELÂCHÉS	3

COMPORTEMENT
Les vexes sont invoqués par les évocateurs. Armés d'épées, ils volent vers le joueur ou le villageois le plus proche et l'attaquent.

COMPÉTENCES SPÉCIALES
Les vexes peuvent voler à travers les blocs solides et ils disparaissent souvent à travers le sol du manoir...

Méthode d'attaque
Les vexes volent vers les joueurs ou les villageois et les frappent avec leur épée.

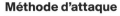

3

SURVIE

Maintenant que tu connais bien Minecraft, ses paysages et ses créatures, il est temps de commencer ta première partie. Dans cette section, tu vas apprendre à trouver ta nourriture et les ressources pour te protéger. Tu verras comment construire un abri et une ferme, comment miner et comment te défendre durant tes parties.

TON PREMIER JOUR

Quand tu apparais pour la première fois, tu dois rapidement récolter des ressources avant que la nuit tombe et que les monstres hostiles ne te recherchent. Ce guide va t'expliquer ce que tu dois faire pour atteindre le deuxième jour en toute sécurité.

PREMIER JOUR

2 Trouve des arbres et frappe-les avec tes mains pour ramasser vingt blocs de bois.

1 Marque ton point d'apparition en construisant une tour en terre et note ses coordonnées.

3 Place ces blocs dans ta grille de fabrication pour faire des planches.

4 Fabrique une table de fabrication avec quatre planches de bois.

6 Utilise les bâtons et les planches pour faire une pioche en bois ainsi qu'une hache, une épée et une pelle.

5 Utilise la table de fabrication pour faire des bâtons avec les planches.

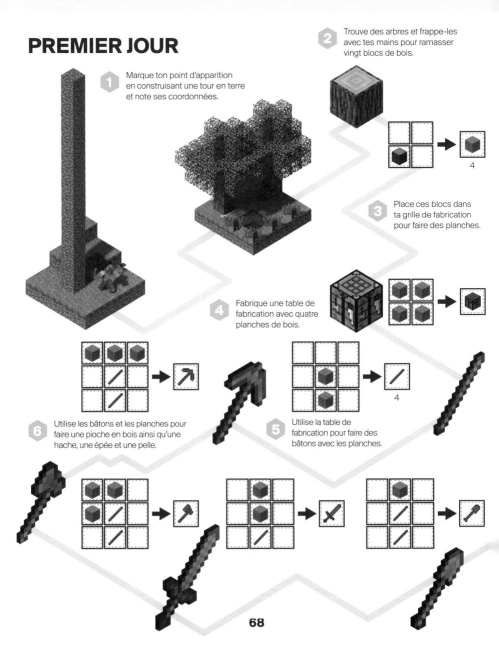

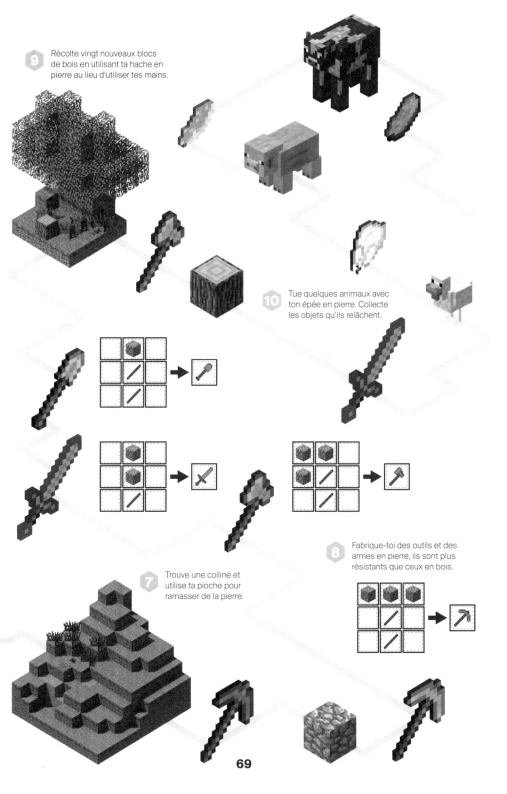

9 Récolte vingt nouveaux blocs de bois en utilisant ta hache en pierre au lieu d'utiliser tes mains.

10 Tue quelques animaux avec ton épée en pierre. Collecte les objets qu'ils relâchent.

8 Fabrique-toi des outils et des armes en pierre, ils sont plus résistants que ceux en bois.

7 Trouve une colline et utilise ta pioche pour ramasser de la pierre.

69

11 Tue trois moutons pour te fabriquer un lit. Il te permettra de dormir la nuit.

LE SAVIEZ-VOUS ?

Tu n'as pas eu le temps de te construire un abri ? Monte au sommet d'une tour de terre de trois blocs de haut jusqu'au matin pour échapper aux monstres. Tu peux aussi creuser un trou de trois blocs de profondeur, te glisser dedans et placer un bloc au-dessus de ta tête.

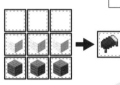

12 Fabrique un four. Il permet de faire fondre des objets pour les transformer en choses plus utiles.

 14 Mange de la viande cuite quand ta barre de faim diminue (voir p. 74 et 75).

13 Utilise tes outils en bois comme combustible pour faire cuire la viande crue.

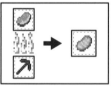

15 Retourne à la colline et creuse plus, jusqu'à trouver du charbon.

16 Mine le plus possible de charbon, chaque bloc en contient un morceau.

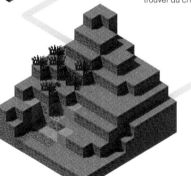

LE SAVIEZ-VOUS ?

Pas de charbon en vue ? Le charbon de bois peut servir à faire des torches. Place du bois dans les deux emplacements d'un four pour en obtenir.

21 Éclaire la zone avec des torches pour éviter l'apparition de monstres pendant la nuit. Ferme la porte, dors dans ton lit ou attends jusqu'au matin. Mets-toi dans un coin, hors de vue depuis la porte.

MOJANG INFO

Le premier jour est trop facile pour toi ? Essaye des défis comme le challenge 404 qui était très populaire au début de Minecraft. Son nom fait référence à sa seed, le numéro 404, qui te fait apparaître sur une grande couche de gravier avec une immense grotte juste sous la surface. Tu dois collecter des ressources à la surface puis survivre à la nuit dans la grotte.

LE SAVIEZ-VOUS ?

Si tu ne parviens pas à te faire un lit avant le crépuscule, profite de la nuit pour faire cuire de la nourriture et pour te fabriquer plus d'équipement – voir les idées page suivante. Tu peux aussi commencer à miner sous ton abri !

20 Fabrique une porte en bois et place-la à l'entrée de ton abri, depuis l'extérieur de celui-ci.

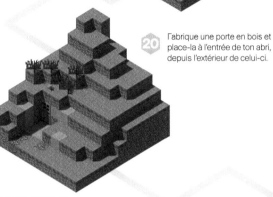

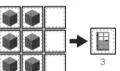

3

19 Étends le trou pour en faire un abri en forme de L afin de te cacher dans le coin.

18 Utilise maintenant du charbon dans ton four pour faire fondre plus d'objets.

4

17 Fabrique des torches. Elles peuvent être placées sur d'autres blocs pour éclairer la zone.

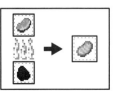

TON DEUXIÈME JOUR

Félicitations ! Tu as atteint le deuxième jour ! Il est maintenant l'heure de remplir ton inventaire de vivres, de fabriquer plus d'objets et d'occire les créatures qui rôdent dans les parages. Voici quelques recettes utiles pour commencer.

COFFRE

Un coffre a vingt-sept emplacements. Il est utile pour stocker tes blocs et objets. Place deux coffres simples l'un à côté de l'autre pour créer un double coffre, puis libère de la place dans ton inventaire en y transférant certains matériaux.

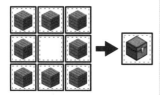

ÉCHELLE

Les échelles permettent de monter ou descendre rapidement en toute sécurité. Elles sont très utiles quand tu es face à des falaises abruptes ou quand tu veux miner plus profondément. Place-les sur le côté des blocs que tu veux gravir.

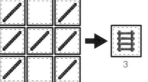

BATEAU

Avec les bateaux, tu traverses plus rapidement les étendues d'eau. Ce sont de bons investissements si tu vis près d'un océan. Ils sont même essentiels quand tu veux explorer des biomes loin de chez toi.

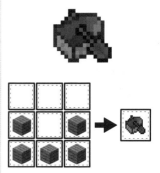

MOJANG INFO

Si tu détruis un coffre, son contenu se répand au sol. Si tu emportes tes affaires, fabrique une boîte de Shulker avec un coffre et des carapaces de Shulker.

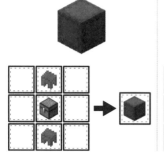

TRAPPE

Si tu commences une mine juste sous ta base, c'est une bonne idée de placer une trappe à l'entrée pour empêcher les créatures de remonter chez toi. Tu dois attacher la trappe au bloc juste à côté de l'entrée.

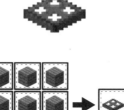

BOL

Si tu veux faire du ragoût de lapin, de la soupe de champignons ou de la soupe de betteraves, tu as besoin d'un bol (voir p. 76-77). Tu peux aussi utiliser le bol pour traire des champimeuhs et obtenir de la soupe de champignons.

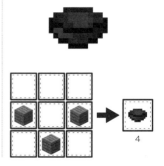

MINERAI DE FER

Ta priorité est ensuite de trouver du fer. Ces blocs peuvent être fondus en lingots utiles pour fabriquer divers outils et armes. Le minerai de fer se trouve au niveau de la mer et au-dessous de celui-ci, dans des veines à huit blocs de profondeur. Essaie de repérer les petites taches orange incrustées dans la roche, puis mine autant de blocs que tu veux en utilisant ta pioche en pierre. Une fois le fer miné, tu dois le faire fondre dans ton four pour couler des lingots. Utilise-les pour fabriquer les objets ci-dessous.

OUTILS ET ARMES EN FER

Améliore tes outils et tes armes en fer. Recopie les recettes de la p. 69 en remplaçant la pierre par des lingots de fer.

MINERAI DE FER

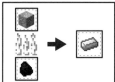

PORTE EN FER

Contrairement aux portes en bois, celles en fer ne peuvent pas être cassées par les zombies. Cependant, elles sont plus complexes que les portes en bois et tu devras mettre des boutons à l'intérieur et à l'extérieur pour les ouvrir.

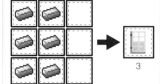

3

BRIQUET

Le briquet enflamme les blocs solides. Tu en auras besoin pour activer le TNT et pour les portails du Nether. Tu peux le fabriquer à partir d'un lingot de fer et d'un silex (parfois relâchés quand on mine du gravier). Voir p. 55 le TNT.

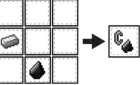

SEAU

Les seaux servent à récupérer et à transporter l'eau et la lave. Tu peux ainsi les déplacer dans un autre endroit. Les seaux sont aussi utilisés pour traire les vaches et les champimeuhs.

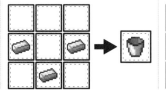

CISAILLES

Les cisailles sont utiles pour tondre les moutons sans les tuer. Cela te donne également plus de laine. Les cisailles sont indispensables aussi quand tu explores la jungle, car elles détruisent rapidement les blocs de feuilles.

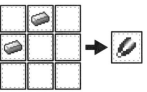

LE SAVIEZ-VOUS ?

Tu peux fabriquer des outils et des armes en or ou en diamant. Pour cela, remplace les lingots de fer par des lingots en or ou des diamants. L'équipement en or se casse vite mais il est le plus facile à enchanter. Celui en diamant est le plus solide. Voir p. 86 et 87 pour savoir où trouver de l'or et des diamants.

SANTÉ ET NOURRITURE

En mode Survie tu dois surveiller tes barres de vie et de nourriture. Elles sont justes au-dessus de ta barre d'accès rapide. Il faut manger régulièrement et te soigner quand tu es blessé. Sinon, ta barre de vie descendra vite à 0 et tu mourras.

POINTS DE VIE

Quand tu apparais la première fois dans le mode Survie, tu as 20 points de vie (dix cœurs pleins) et 20 points de nourriture (dix pattes de poulet). En jouant, tu prends des coups, tu utilises ton énergie et tu perds ainsi des points. Pour restaurer tes points de vie tu dois te nourrir et éviter les coups pendant un moment. Ta barre de nourriture montre ta faim. Quand elle est pleine tu ne peux pas manger plus.

Tu perds des points de vie à cause de :

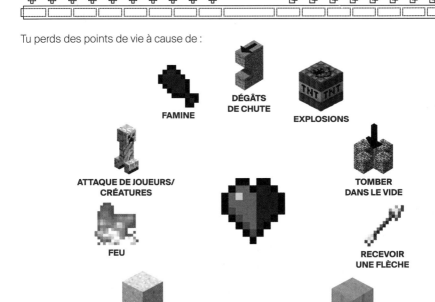

FAMINE

DÉGÂTS DE CHUTE

EXPLOSIONS

ATTAQUE DE JOUEURS/ CRÉATURES

FEU

TOMBER DANS LE VIDE

RECEVOIR UNE FLÈCHE

SUFFOCATION

LAVE

CONTACT AVEC UN CACTUS

NOYADE

En combat, tu perds vite des points de vie. C'est un bon réflexe d'avoir de la nourriture dans ta barre d'accès rapide. Les différents types d'aliments donnent plus ou moins de points, tu verras ensuite lesquels.

BŒUF CRU
3 points de nourriture

STEAK
8 points de nourriture

CÔTE DE PORC CRUE
3 points de nourriture

CÔTE DE PORC CUITE
8 points de nourriture

POULET CRU
2 points de nourriture

POULET GRILLÉ
6 points de nourriture

MOUTON CRU
2 points de nourriture

MOUTON CUIT
6 points de nourriture

LAPIN CRU
3 points de nourriture

LAPIN CUIT
5 points de nourriture

VIANDE

Les animaux relâchent en général de la viande crue en mourant. La viande restaure plus de points de nourriture que les fruits et les légumes. C'est donc une excellente nourriture. De plus, la viande cuite redonne plus de points de nourriture que la viande crue.

POISSON

Si tu as une canne à pêche et un accès à l'eau, les poissons sont une ressource excellente et illimitée de nourriture. On peut aussi obtenir du poisson cru en battant les ours polaires et les gardiens (voir p. 49, 58 et 59). Cuire le poisson dans un four augmente son apport en points de nourriture. Utilise ta canne à pêche. Quand l'hameçon s'enfonce, tire la ligne et vois ce que tu as attrapé.

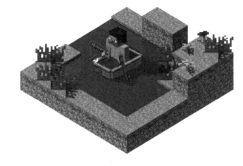

(voir p. 49, 58 et 59)

ASTUCE ⛏

La pêche ne rapporte pas que des poissons, tu peux aussi attraper des détritus ainsi que, rarement, des objets comme les livres enchantés. Tu peux aussi appliquer des enchantements sur ta canne pour avoir plus de chance de pêcher des choses utiles.

POISSON-CLOWN
1 point de nourriture

POISSON CRU
2 points de nourriture

POISSON CUIT
5 points de nourriture

SAUMON CUIT
6 points de nourriture

SAUMON CRU
2 points de nourriture

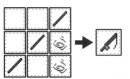
RECETTE DE LA CANNE À PÊCHE

FRUITS ET LÉGUMES

Les fruits et légumes ne redonnent pas autant de points de nourriture que la viande, mais c'est une bonne solution si tu ne trouves pas d'animaux. Si tu sais où chercher, tu en trouveras partout dans l'Overworld. Certaines espèces permettent de fabriquer des objets encore plus utiles.

LE SAVIEZ-VOUS ? ↗

Carottes, champignons et pommes de terre font un bon ragoût de lapin.

1 Les pommes de terre se trouvent dans les fermes des villages et sont parfois relâchées par les zombies à leur mort. Une pomme de terre cuite au four apporte plus de points de nourriture.

Une pomme de terre donne 1 point de nourriture et une pomme de terre cuite 5.

2 Les betteraves se trouvent aussi dans les fermes des villages. Tu peux les manger crues ou en faire de la soupe.

La betterave donne 1 point de nourriture et la soupe en apporte 6.

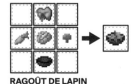

RAGOÛT DE LAPIN

SOUPE DE BETTERAVES

3 Les carottes se trouvent dans les fermes des villages et sont parfois relâchées par les zombies à leur trépas.

Elles donnent 3 points de nourriture.

4 Tu obtiens des pommes en détruisant les feuilles des chênes et des chênes noirs ou tu les trouves dans les coffres qui apparaissent dans la nature. Les villageois peuvent parfois te vendre des pommes contre des émeraudes.

Elles donnent 4 points de nourriture

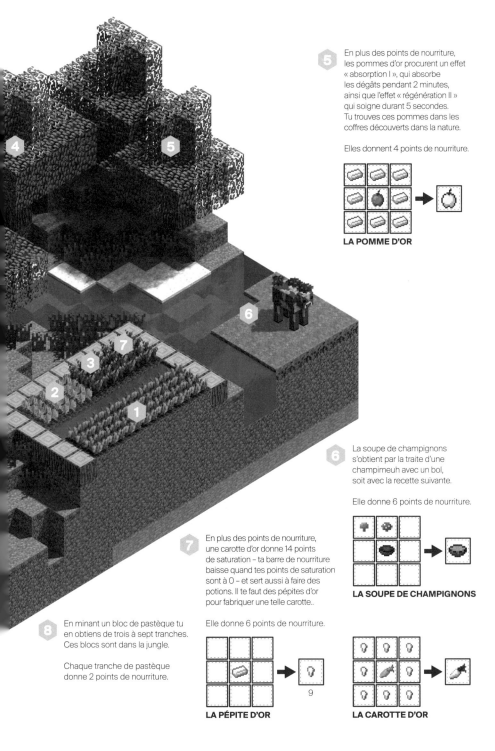

En plus des points de nourriture, les pommes d'or procurent un effet « absorption I », qui absorbe les dégâts pendant 2 minutes, ainsi que l'effet « régénération II » qui soigne durant 5 secondes. Tu trouves ces pommes dans les coffres découverts dans la nature.

Elles donnent 4 points de nourriture.

LA POMME D'OR

La soupe de champignons s'obtient par la traite d'une champimeuh avec un bol, soit avec la recette suivante.

Elle donne 6 points de nourriture.

LA SOUPE DE CHAMPIGNONS

En plus des points de nourriture, une carotte d'or donne 14 points de saturation – ta barre de nourriture baisse quand tes points de saturation sont à 0 – et sert aussi à faire des potions. Il te faut des pépites d'or pour fabriquer une telle carotte..

Elle donne 6 points de nourriture.

LA PÉPITE D'OR

LA CAROTTE D'OR

En minant un bloc de pastèque tu en obtiens de trois à sept tranches. Ces blocs sont dans la jungle.

Chaque tranche de pastèque donne 2 points de nourriture.

PLATS CUISINÉS

Avec les bons ingrédients, tu peux fabriquer des plats « cuisinés » complexes qui maximisent le nombre de points de nourriture et donnent un peu de variété à ton alimentation. Voici un guide rapide pour savoir où et comment obtenir les ingrédients nécessaires.

1 Ramasse du blé dans les fermes d'un village de PNJ ou dans les coffres des donjons, des igloos ou des manoirs en bois.

Il peut y avoir du pain dans les coffres apparaissant dans la nature. Les villageois fermiers vendent deux à quatre miches de pain contre une émeraude.

Le pain donne 5 points de nourriture.

LE PAIN

2 La canne à sucre se trouve souvent près de l'eau. Ramasses-en puis place-la dans ta grille de fabrication pour faire du sucre.

LE SUCRE

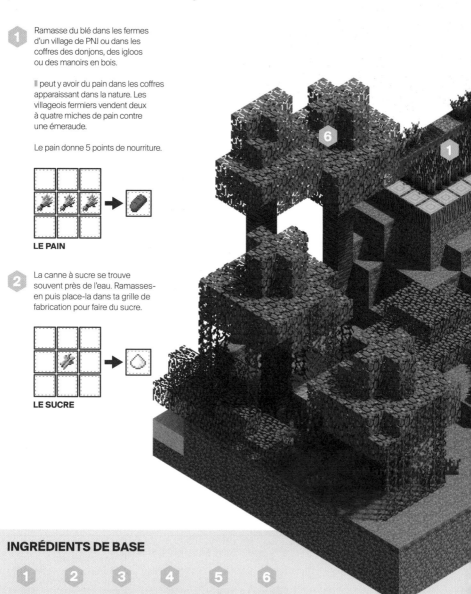

INGRÉDIENTS DE BASE

1 **2** **3** **4** **5** **6**

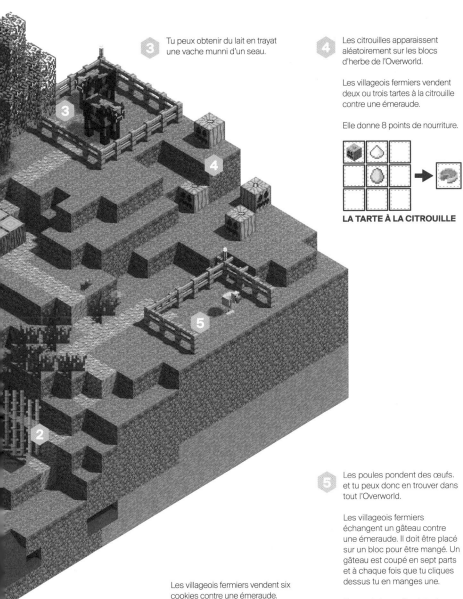

③ Tu peux obtenir du lait en trayat une vache munni d'un seau.

④ Les citrouilles apparaissent aléatoirement sur les blocs d'herbe de l'Overworld.

Les villageois fermiers vendent deux ou trois tartes à la citrouille contre une émeraude.

Elle donne 8 points de nourriture.

LA TARTE À LA CITROUILLE

⑤ Les poules pondent des œufs. et tu peux donc en trouver dans tout l'Overworld.

Les villageois fermiers échangent un gâteau contre une émeraude. Il doit être placé sur un bloc pour être mangé. Un gâteau est coupé en sept parts et à chaque fois que tu cliques dessus tu en manges une.

Une part donne 2 points de nourriture donc un gâteau 14.

Les villageois fermiers vendent six cookies contre une émeraude.

Ils donnent 2 points de nourriture.

⑥ La fève de cacao se trouve dans les cabosses qui poussent sur le côté des acajous dans la jungle.

8

LES COOKIES

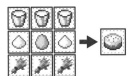

LE GÂTEAU

79

AMÉNAGER TA PROPRE FERME

Bien que tu puisses disposer de sources de nourriture dans tout l'Overworld, tu te facilites la vie en construisant des fermes à fruits et légumes et des élevages juste à côté de ton abri. Tu as ainsi une source durable de nourriture sur le pas de ta porte.

ÉLEVER DES ANIMAUX

Les animaux sont utiles à bien des choses. Créer un élevage est donc très intéressant. Tu vas devoir faire des réserves de nourriture – chaque espèce aime des légumes différents –, construire un enclos et y amener des bêtes pour qu'elles se reproduisent.

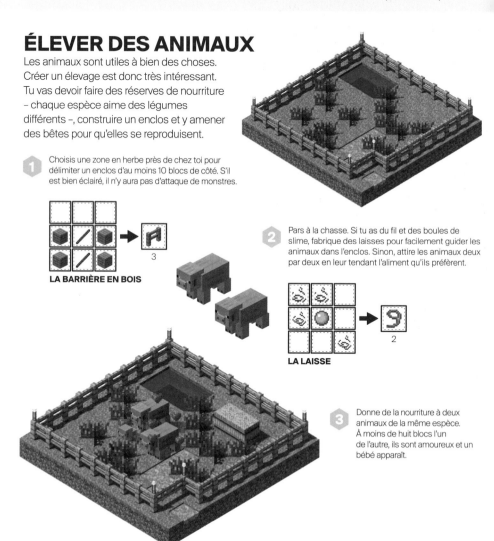

1 Choisis une zone en herbe près de chez toi pour délimiter un enclos d'au moins 10 blocs de côté. S'il est bien éclairé, il n'y aura pas d'attaque de monstres.

LA BARRIÈRE EN BOIS

2 Pars à la chasse. Si tu as du fil et des boules de slime, fabrique des laisses pour facilement guider les animaux dans l'enclos. Sinon, attire les animaux deux par deux en leur tendant l'aliment qu'ils préfèrent.

LA LAISSE

3 Donne de la nourriture à deux animaux de la même espèce. À moins de huit blocs l'un de l'autre, ils sont amoureux et un bébé apparaît.

80

NOURRITURE POUR LA REPRODUCTION

LAPIN
Pissenlit
Carottes
Carottes d'or

COCHON
Carottes
Pommes de terre
Betterave

CHEVAL
Pommes d'or
Carotte d'or

MOUTON
Blé

CHAT
Poisson cru
Saumon cru
Poisson-clown
Poisson-globe

VACHE
Blé

CHAMPIMEUH
Blé

LOUP APPRIVOISÉ
Toutes les viandes crues
Toutes les viandes cuites

LAMA
Bloc de paille

POULET
Graines
Graines de citrouille
Graines de pastèque
Graines de betterave

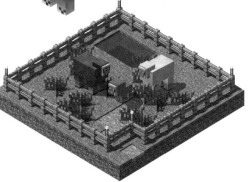

ASTUCE ↗

Assez de la laine blanche ? Tu peux teindre tes moutons avant leur naissance. Les agneaux seront de la couleur de l'un de leurs parents ou leur couleur sera une combinaison des deux couleurs si cela est possible. Bien des fleurs, le cactus, le lapis-lazuli, les fèves de cacao et les sacs d'encre sont des colorants possibles.

FERME AGRICOLE

Les plantations ont besoin chacune de conditions particulières pour bien pousser. Et il est important de les respecter. Choisis une zone plate et recouverte de terre, puis suis les étapes ci-dessous pour créer ta ferme.

CAROTTES, POMMES DE TERRE, BETTERAVES ET BLÉ

1 Dans les fermes des villages, collecte des carottes, des pommes de terre, des betteraves et du blé. On ramasse aussi les graines de blé en coupant les herbes hautes.

2 Fabrique une houe. Tu en auras besoin pour travailler la terre.

LA HOUE EN FER

4 Place des barrières tout autour de ta ferme, ainsi qu'un portillon pour la protéger des monstres affamés.

LE PORTILLON

5 Place des torches aux coins de la clôture pour éclairer la zone la nuit. Les plantes ont besoin de lumière.

6 Plante tes graines, attends leur maturité et ne récolte pas trop tôt, sinon elles ne donnent que des graines. Plante après chaque récolte pour que ta ferme soit tout le temps productive.

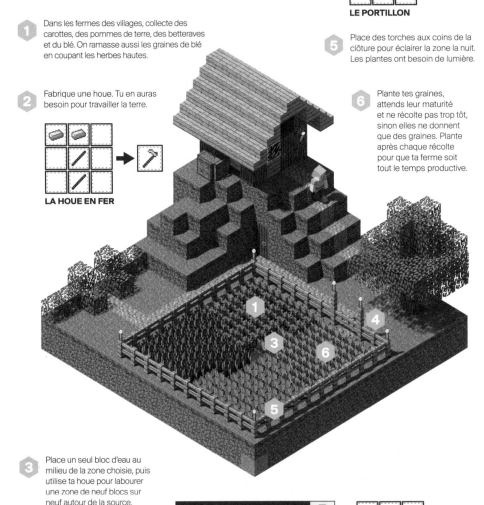

3 Place un seul bloc d'eau au milieu de la zone choisie, puis utilise ta houe pour labourer une zone de neuf blocs sur neuf autour de la source.

ASTUCE

La poudre d'os est un très bon fertilisant. Utilise-la sur tes plantations pour les amener tout de suite à leur maturité.

LA POUDRE D'OS

8

CANNE À SUCRE

Plante la canne à sucre sur de la terre, de l'herbe ou du sable. Elle doit être à côté d'une source d'eau pour pousser mais elle n'a pas besoin de lumière. Tu as besoin de canne à sucre pour faire du sucre et cuisiner. Elle te sert aussi à fabriquer du papier, des livres et des bibliothèques.

ASTUCE

Quand tu récoltes de la canne à sucre mature – trois blocs de haut –, vise le bloc central pour ne pas devoir replanter.

PASTÈQUES ET CITROUILLES

Pastèques et citrouilles n'ont pas besoin d'eau pour pousser. Il leur faut juste un sol fertile. Laboure la terre et plante tes graines en prenant garde à laisser un espace vide à côté de la graine. Une tige va pousser et produire éventuellement une pastèque ou une citrouille sur le bloc voisin de la graine. Quand tu récoltes, la tige reste intacte et le processus de croissance reprend aussitôt.

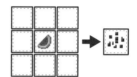

LES GRAINES DE PASTÈQUE

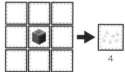

LES GRAINES DE CITROUILLE

Les graines de pastèque viennent des tranches de pastèque ou des coffres naturellement générés.

Les graines de citrouille se trouvent dans les citrouilles et parfois dans les coffres.

CHAMPIGNONS

Ils poussent dans les zones de luminosité inférieure à 12, sauf s'ils sont sur du mycélium ou du podzol – il s'agit d'un sol des biomes taïga. Une fois plantés, les champignons s'étendent sur les blocs voisins qui ont une luminosité satisfaisante. Il ne peut pas y avoir plus de 4 champignons d'une même espèce dans une zone de neuf blocs sur neuf.

MYCÉLIUM   PODZOL

83

MINAGE

Le minage est complexe mais il est indispensable pour mettre la main sur les ressources les plus rares et intéressantes. La plupart des objets rares sont enfouis sous la surface de ton monde et ne peuvent être minés qu'avec certains outils.

LES RÈGLES D'OR

Suis ces règles d'or pour rester en sécurité lors de ta descente dans les profondeurs et pour être sûr de remonter à la surface avec toutes les ressources dont tu as besoin.

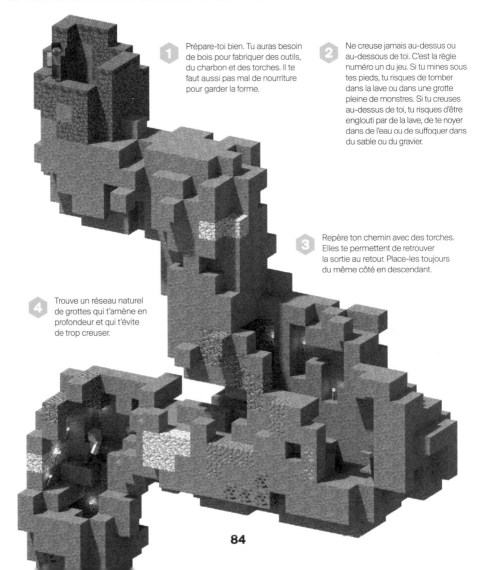

1 Prépare-toi bien. Tu auras besoin de bois pour fabriquer des outils, du charbon et des torches. Il te faut aussi pas mal de nourriture pour garder la forme.

2 Ne creuse jamais au-dessus ou au-dessous de toi. C'est la règle numéro un du jeu. Si tu mines sous tes pieds, tu risques de tomber dans la lave ou dans une grotte pleine de monstres. Si tu creuses au-dessus de toi, tu risques d'être englouti par de la lave, de te noyer dans de l'eau ou de suffoquer dans du sable ou du gravier.

3 Repère ton chemin avec des torches. Elles te permettent de retrouver la sortie au retour. Place-les toujours du même côté en descendant.

4 Trouve un réseau naturel de grottes qui t'amène en profondeur et qui t'évite de trop creuser.

84

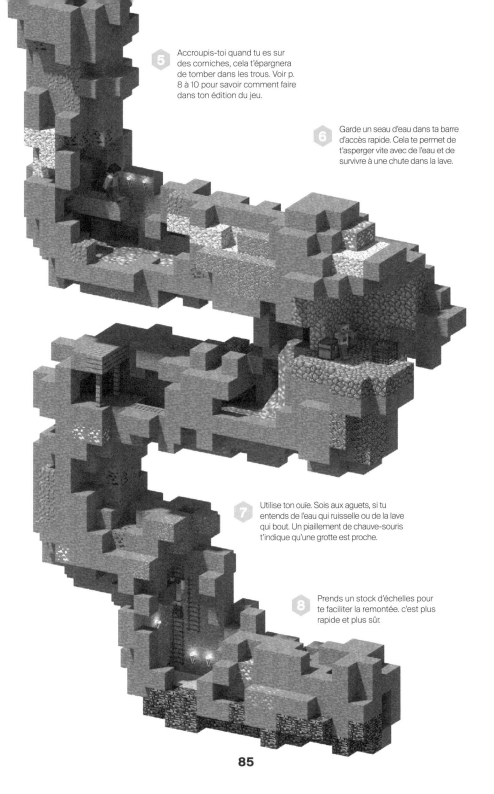

Accroupis-toi quand tu es sur des corniches, cela t'épargnera de tomber dans les trous. Voir p. 8 à 10 pour savoir comment faire dans ton édition du jeu.

Garde un seau d'eau dans ta barre d'accès rapide. Cela te permet de t'asperger vite avec de l'eau et de survivre à une chute dans la lave.

Utilise ton ouïe. Sois aux aguets, si tu entends de l'eau qui ruisselle ou de la lave qui bout. Un piaillement de chauve-souris t'indique qu'une grotte est proche.

Prends un stock d'échelles pour te faciliter la remontée. c'est plus rapide et plus sûr.

CHERCHER DES MINERAIS

Les blocs les plus précieux se trouvent en profondeur, près du niveau le plus bas du monde. Les minerais rares sont générés sous le niveau 32, là où les monstres apparaissent librement dans le noir et où la lave est un sérieux problème. Tu dois avoir une pioche en fer (ou mieux) pour miner la plupart des minerais.

ASTUCE ↗

Pour récolter des minerais, le meilleur endroit est entre les couches $y=10$ et $y=15$. C'est une zone où tous les minerais apparaissent.

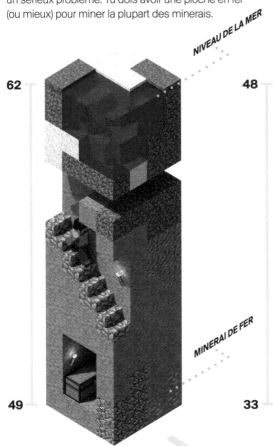

NIVEAU DE LA MER

62

48

49

33

MINERAI DE FER

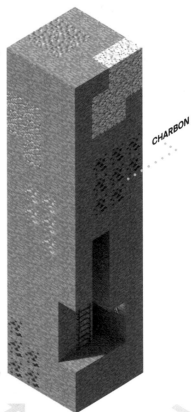

CHARBON

MINERAI D'OR

Les veines de quatre à huit blocs sont dans les couches 32 et en dessous. Le bloc miné tombe au sol. Fais-le fondre dans un four pour obtenir des lingots. Ceux-ci servent à fabriquer des armures, des outils et des armes ainsi que des pommes en or, des montres et des rails de propulsion.

REDSTONE

Elle se trouve en veines de quatre à huit blocs dans les couches 16 et en dessous. Miné, chaque bloc donne 4 ou 5 redstones. La redstone sert à transporter un signal « électrique » ou à fabriquer certains objets comme les montres, les boussoles et les rails de propulsion.

LAPIS-LAZULI

Il se trouve en veines de un à dix blocs dans les couches 31 et en dessous. Quand il est miné avec une pioche en pierre (ou mieux), chaque bloc donne quatre à huit morceaux de lapis-lazuli. Il est utilisé comme colorant ou pour enchanter.

DIAMANT

En veines de un à dix blocs, il se trouve dans les couches 16 et en dessous. Chaque bloc donne un diamant. Il sert à fabriquer les outils, les armes et les armures les plus solides. Le diamant est aussi utilisé dans les jukebox ou les tables d'enchantement.

32

17

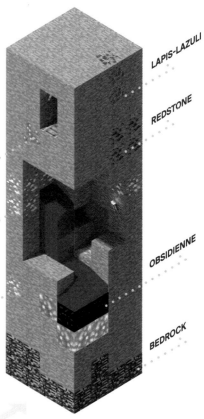

16

0

LAPIS-LAZULI

REDSTONE

ÉMERAUDE

OR

DIAMANT

OBSIDIENNE

BEDROCK

MINERAI D'ÉMERAUDE

Tu peux trouver ces blocs entre les couches 4 et 32, seulement dans les biomes collines extrêmes. Un bloc donne une seule émeraude quand il est miné. Les émeraudes permettent de commercer avec les villageois – voir p. 47. Ce sont aussi des blocs décoratifs.

LE SAVIEZ-VOUS ?

L'obsidienne se trouve très en profondeur, là où de l'eau entre en contact avec de la lave. C'est le bloc le plus solide que tu peux miner en mode Survie et c'est le seul bloc que tu ne peux miner qu'avec une pioche en diamant. Tu en auras besoin pour faire un portail du Nether et une table d'enchantement.

COMBAT

Sauf si tu choisis la difficulté Pacifique, le mode Survie nécessite souvent de se battre. Les meilleurs joueurs utilisent des potions et des enchantements pour améliorer leurs performances, mais voici tout d'abord un guide de base pour bien commencer.

BASES DU COMBAT

Tu as besoin d'objets clefs pour te défendre contre les monstres ou les joueurs ennemis. Les recettes suivantes t'aideront à gagner.

Fabrique une épée pour frapper tes adversaires. Elle peut être en bois, en pierre, en fer, en or ou en diamant.

Une hache fait plus de dégâts par coup qu'une épée mais l'enchaînement des coups est plus lent.

MOJANG INFO

Saute juste avant de frapper pour donner un coup critique qui produit 50 % de dégâts en plus qu'un coup normal.

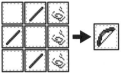

LE BOUCLIER

Un bouclier bloque les attaques et limite les dégâts subis. Cependant, Il te ralentit dans tes mouvements, comme si tu étais accroupi.

LE SAVIEZ-VOUS ?

Pour ton arc, il faut de la ficelle. Les araignées en relâchent parfois en mourant mais la meilleure source, ce sont les mines abandonnées. Tu y trouves des toiles d'ataignées qu'il faut casser à l'épée pour en récupérer la ficelle.

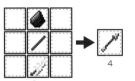

L'ARC **LES FLÈCHES**

4

Avec un arc et des flèches, tu peux attaquer de loin, tout en restant en sécurité, les monstres hostiles et les joueurs ennemis.

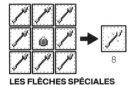

LES FLÈCHES SPÉCIALES

8

Les flèches spéciales combinent potions et flèches normales. Elles administrent l'effet de la potion en touchant l'adversaire. Tu peux préparer des potions où récupérer celles relâchées par les sorcières.

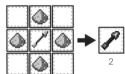

LES FLÈCHES SPECTRALES

2

Les flèches spectrales donnent l'effet « Surbrillance » pendant 10 secondes. Ta cible est alors visible même derrière des blocs solides. La poudre de luminite se trouve dans le Nether et les sorcières en relâchent parfo

ARMURE

Pour te protéger, fabrique-toi un set complet d'armure :
un casque, un plastron, un pantalon et des bottes. Tout
cela peut être fait à partir de vingt-quatre morceaux
de cuir, de fer, d'or ou de diamant. Chaque matériau
te donne un niveau de protection différent : le cuir est
le moins résistant et le diamant est le meilleur.

LE SAVIEZ-VOUS ?

PLace une citrouille dans ton
emplacement pour le casque et cela la
mettra sur ta tête. C'est utile quand tu
rencontres des endermens : voir p. 51.

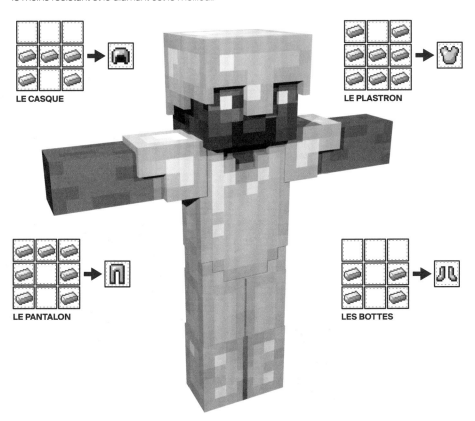

LE CASQUE

LE PLASTRON

LE PANTALON

LES BOTTES

Quand ton armure est prête, ouvre ton inventaire et repère les quatre emplacements d'armure. Place
tes éléments à ces endroits et ils apparaîtront sur toi ainsi qu'une barre d'armure, juste au-dessus des
points de vie. Garde un œil dessus pour savoir si elle est encore active. Cette barre diminue quand ton
armure absorbe des dommages. Tu dois ensuite la réparer sur une enclume ou en refaire une autre.

L'ARMURE TE PROTÈGE CONTRE :

AMÉLIORER TON ABRI

Tout ce minage et tous ces combats ont finalement payé. Ton inventaire est rempli de blocs et d'objets qui n'attendent plus que d'être utilisés. Il est maintenant l'heure d'améliorer ton abri pour en faire une base sûre où tu vas préparer tes prochaines aventures.

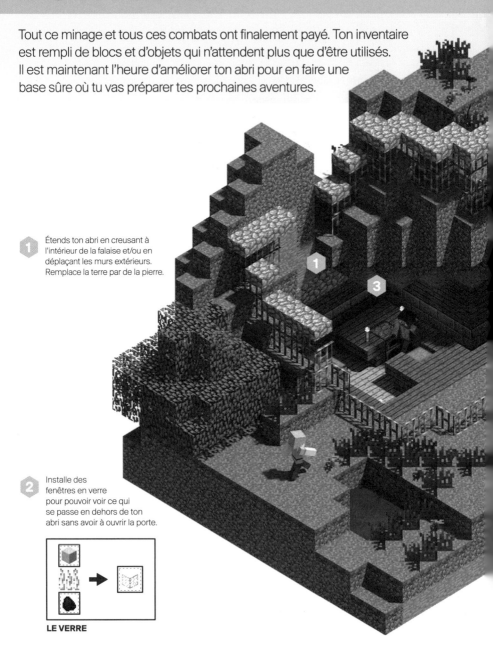

1 Étends ton abri en creusant à l'intérieur de la falaise et/ou en déplaçant les murs extérieurs. Remplace la terre par de la pierre.

2 Installe des fenêtres en verre pour pouvoir voir ce qui se passe en dehors de ton abri sans avoir à ouvrir la porte.

LE VERRE

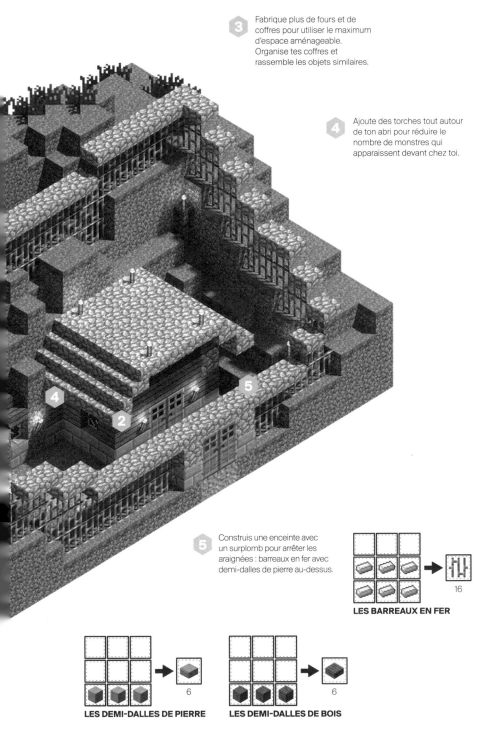

3 Fabrique plus de fours et de coffres pour utiliser le maximum d'espace aménageable. Organise tes coffres et rassemble les objets similaires.

4 Ajoute des torches tout autour de ton abri pour réduire le nombre de monstres qui apparaissent devant chez toi.

5 Construis une enceinte avec un surplomb pour arrêter les araignées : barreaux en fer avec demi-dalles de pierre au-dessus.

16

LES BARREAUX EN FER

6

LES DEMI-DALLES DE PIERRE

6

LES DEMI-DALLES DE BOIS

NAVIGATION

À l'horizon, un monde entier attend juste d'être exploré. De nouveaux biomes excitants et pleins de ressources rares s'y trouvent, pleins de créatures que tu n'as jamais vues. Lors des longs voyages, il est facile de se perdre et tu dois donc bien te préparer avant de partir.

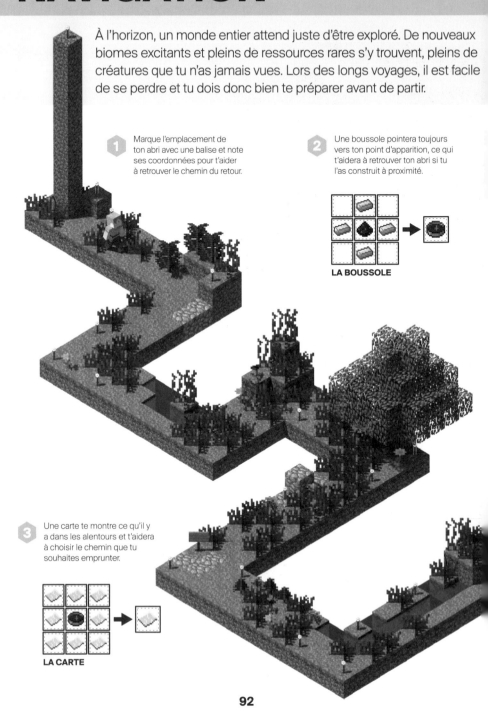

1 Marque l'emplacement de ton abri avec une balise et note ses coordonnées pour t'aider à retrouver le chemin du retour.

2 Une boussole pointera toujours vers ton point d'apparition, ce qui t'aidera à retrouver ton abri si tu l'as construit à proximité.

LA BOUSSOLE

3 Une carte te montre ce qu'il y a dans les alentours et t'aidera à choisir le chemin que tu souhaites emprunter.

LA CARTE

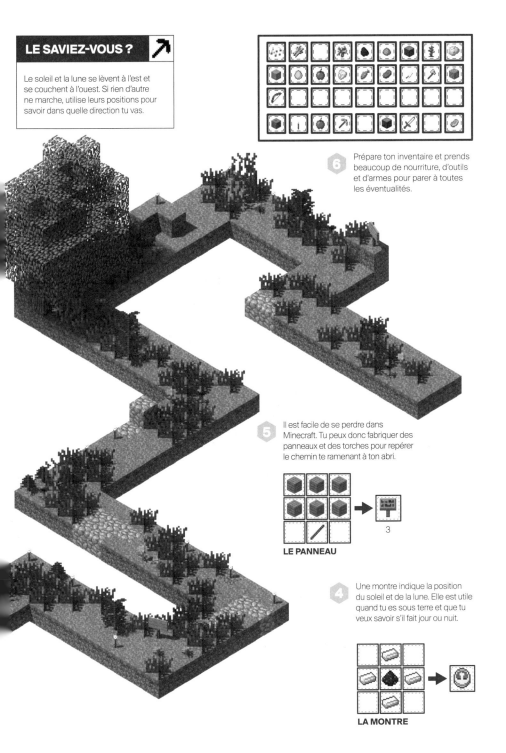

LE SAVIEZ-VOUS ?

Le soleil et la lune se lèvent à l'est et se couchent à l'ouest. Si rien d'autre ne marche, utilise leurs positions pour savoir dans quelle direction tu vas.

6 Prépare ton inventaire et prends beaucoup de nourriture, d'outils et d'armes pour parer à toutes les éventualités.

5 Il est facile de se perdre dans Minecraft. Tu peux donc fabriquer des panneaux et des torches pour repérer le chemin te ramenant à ton abri.

3

LE PANNEAU

4 Une montre indique la position du soleil et de la lune. Elle est utile quand tu es sous terre et que tu veux savoir s'il fait jour ou nuit.

LA MONTRE

CONCLUSION

Félicitations ! Tu as terminé notre guide de l'Exploration. Souviens-toi de tout ce que tu as lu et tu seras un expert en fabrication, capable de survivre à tous les dangers de l'Overworld, aux périls du Nether et au-delà.
Merci de jouer à Minecraft !

OWEN JONES
L'ÉQUIPE MOJANG